KB203517

이번 생은
틀렸다고
느껴질 때

유일한 지음

이번 생은 틀렸다고 느껴질 때

유일한 지음

필름

사람이 사는 이유? 수 많은 철학적 대답이 존재하겠지만, 일단 태어났으니까 사는 걸 테지. 그리고 기왕 태어났으니 좀 재미있게 잘 살아보고 싶은데, 아무리 잘 살아보려 노력해도 희망이 보이지 않을 때가 많다. 이럴 땐 아직 젊어, 살아온 날보다 살아갈 날이 더 많음에도 이번 생은 틀렸다며 포기하고 싶어진다. 요즘, 젊은 사람들 사이에서 영정사진을 찍는 것이 유행이라고 한다. 짤막하게 유언을 적은 팻말을 들고 카메라 앞에 서는 젊은이들. 지금까지 살아온 삶을 돌아보고 새롭게 다시 태어나려는 다짐이 아닐까. 멀게만 생각했던 죽음이 가까이 느껴지자 지금 나를 힘들게 하는 취직 문제, 학업, 인간관계 같은 일들이 아무것도 아닌 것처럼 느껴진다고 한다. 나 또한 삶에 지쳐있는 젊은이들 중 하나로, 이번 생을 잘 살아보려 몸부림치며 느낀 솔직한 마음을 이 책에 담았다.

나는 콘텐츠 크리에이터다. 주로 유튜브와 SNS에 내가 만든 콘텐츠를 올려 사람들에게 이야기를 들려준다. 단순한 흥미 위주의 가십거리 보다는 조금이라도 감동과 여운이 남는 이야기를 하려고 노력했다. 그러다 보니 운 좋게 도 우리나라 유튜브 정보 카테고리에서 가장 많은 팔로워를 보유한 채널이 되었다. 그리고 좋은 출판사와 인연이 되어 내 이야기들을 묶어 책으로 펴내는 영광까지 얻게 되었다. 그렇다고 내 이야기에 엄청나게 깊이 있는 정보나 지식이 담겨있는 것은 아니다. 누구나 쉽게 들을 수 있는 정도의 것이다. 또 내 이야기가 엄청난 통찰력과 깊은 견해로 쓰여진 것도 아니다. 이 역시 지나가는 평범한 사람의 투덜거림 정도일 것이다. 그럼에도 내 이야기에 수 많은 사람들이 귀 기울여 주는 이유는 바로 '공감' 이라고 생각한다. 사람들은 적당한 깊이의 지식을 얻었을 때 즐거움을 느끼고, 남들이 자신과 같은 생각을 한다는 것을 알았을 때 짜릿함을 느낀다. 내 이야기가 독자 분들께 작은 즐거움과 짜릿함을 전해드릴 수 있기를 바란다.

차례

꿈에 관한 이야기

사랑에 관한 이야기

아픔에 관한 이야기

생각에 관한 이야기

행복에 관한 이야기

꿈에 관한 이야기

우리도 그냥 눈에 보이는 하루하루를 열심히 살다 보면 결국 어딘가에는 도착하지 않을까. 삶을 살아가는데 꼭 꿈이 있어야만 하는 걸까. 때로는 너무 높이 있는 꿈을 보고 올라가기도 전에 겁을 먹어 더 일찍 포기하고 싶어지는데, 지금 이 순간이 즐겁고 행복하다면 그걸로도 괜찮지 않을까?

인생의 주인공

사람들은 자기 인생의 주인공이 되라고 한다.

주인공이 되면 스포트라이트를 받고 부와 명예도 얻을 수 있겠지.

하지만 주인공이든 엑스트라든 남들이 써놓은 대본을 읽고 연기하는 건 마찬가지.

나는 주인공이 아닌 내 인생 내 맘대로 편집하는 감독이 되려 한다.

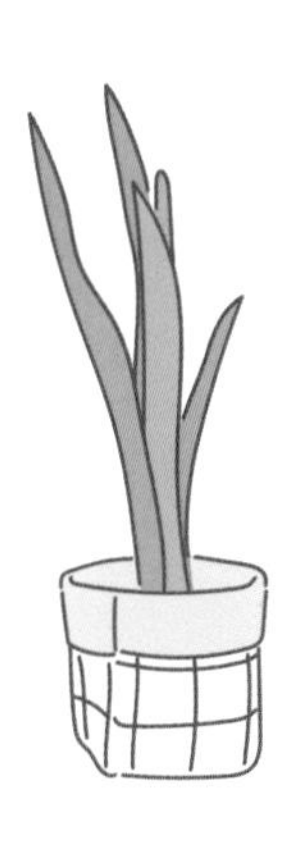

우리나라에서
가장 돈을 못 버는 직업

내 어릴 적 꿈은 뭐였을까. 솔직히 잘 생각나지 않는다. 이제 곧 중학교에 들어가는 조카는 요리사가 꿈이라고 한다. 5살 때는 공룡이 되고 싶다고 했지만, 다행히 꿈이 바뀌었다. 그러고 보면 아이들은 자주 바뀌기는 하지만 무언가가 되고 싶다는 꿈을 제법 정확하게 말한다. 오히려 꿈을 당장 이뤄내야 하는 시기가 코앞인 어른들은 꿈이 뭐냐는 질문에 당황하곤 한다. 당장 하루하루 사는 것도 정신 없으니 꿈을 꿀 여유도 없을 것이다. 그런데 내 꿈이 뭔지 잘 모르겠다는 사람들도 사실 모두 공통적으로 생각해 본 꿈이 있다. 바로 아무 일도 안 하면서 놀고먹는 것! 하지만 아주 극소수의 사람들을 제외하고는 죽을 때까지 이루지 못할 꿈이란 걸 알기에 우리는 오늘도 열심히 일을 하며 살아간다.

30대가 된 나는 어떤 꿈을 갖고 있을까. 역시나 잘 모르겠다. 뭔가 정확한 꿈을 갖고 살면 좀 더 충실한 삶을 살 수도 있겠지만 그때그때 할 수 있는 일을 하며 흘러가는 대로 사는 것도 나쁜 것 같지는 않다. 나는 제법 많은 직업을 가져봤다. 대학을 졸업하고 장교로 직업군인 생활을 했고, 전역 후엔 취직을 해서 직장생활을 하다가 사표를 던지고 나와 벤처기업을 창업해보기도 했다. 그리고 지금은 콘텐츠 크리에이터로 유튜브와 SNS를 운영하고 있다. 게다가 이렇게 책을 쓰는 작가가 될 거라고는 꿈에도 몰랐다. 생각해보면 모두 충동적이었다. 오랫동안 계획하고 준비하기보다는 기회가 생겼을 때 과감하게 뛰어들었다. 결과가 좋았든 나빴든 후회하는 선택은 없었다. 그냥 흘러가는 대로 눈앞에 다가온 일들을 했다. 지금도 거창한 앞으로의 계획은 없다. 세상에 존재하는 수만 가지의 직업 중 또 어떤 직업을 갖게 될지는 모르겠지만, 무슨 일을 하든 굶어 죽지는 않겠지라는 긍정적인 마음으로 주어진 기회에 최선을 다해 살아갈 뿐이다.

사람들마다 직업을 선택하는 기준이 조금씩은 다르겠지

만 보통은 자아실현 같은 순수한 마음보다 솔직히 얼마를 벌 수 있는지, 얼마나 안정적인지를 가장 중요하게 생각할 것이다. 꿈도 좋지만 당장 눈앞의 생계를 해결해야 하기 때문이다. 그렇기에 요즘 청년들은 너도나도 대기업 취직이나 공무원을 꿈꾼다. 분명 돈이 행복의 전부는 아니지만, 돈이 너무 없어도 행복하기 어려운 게 사실이다. 왠지 우리나라에서는 더욱더 그렇게 느껴진다. 돈을 벌기 위해 직업을 가져야 하고, 그러다 보니 무작정 내가 좋아하는 일, 하고 싶은 일을 좇을 수 없게 된다. 더 이상 어렸을 때처럼 순수하게 꿈을 꿀 수가 없다. 대통령이 꿈이고 소방관이 꿈이던 아이가 어른이 되면 대통령은 고사하고, 소방공무원 시험에 합격하기 위해 수년 동안 얼마나 피나는 노력으로 공부해서 얼마나 높은 경쟁률을 뚫어야 하는지 알게 된다. 그리고 꿈은 현실에 밀려 푸석푸석한 삶을 살게 된다.

한국고용정보원에서 발표하는 우리나라의 직업정보를 보면 재미있는 내용이 많다. 특히 얼마 전에 보게 된 2016년 분석자료 중 소득이 가장 낮은 직업 순위가 눈에 띄었다. 불

명예의 1위는 시인이었다. 연평균소득이 불과 542만 원으로 한 달에 45만 원 정도를 버는 꼴이다. 비슷하게 글을 쓰는 소설가 역시 1,566만 원으로 9위에 올랐다. 소수의 베스트셀러 작가들을 제외하면 글을 써서 먹고 산다는 게 정말 쉬운 일은 아닌 듯하다.

2위는 1,262만 원으로 수녀가, 3위는 1,471만 원으로 신부가 차지했다. 물론 돈을 벌기 위한 목적이 아닌 신앙심으로 자신의 삶을 희생하고 봉사하는 성직자분들을 직업으로 분류하는 게 옳은 것 같지는 않지만 어쨌든 이런 현실적인 부분을 알게 되니 그분들에 대한 존경심이 더 커지는 듯하다. 4위는 육아도우미(1,476만 원), 5위는 연극 및 뮤지컬 배우(1,481만 원), 6위는 전도사(1,540만 원), 7위는 보조교사(1,543만원), 8위는 농림어업 관련 단순종사원(1,544만 원), 10위는 통계 및 설문조사원(1,593만 원)이 각각 순위에 올랐다.

성직자 같은 특수한 상황을 제외하면 어떤 분야에서

든 가장 성공한 1%는 엄청난 부와 명예를 얻게 된다. 우리나라에서 가장 돈을 못 버는 직업 1위인 시인 역시 그럴 것이다. 그리고 나머지 99%의 평범한 사람들은 계속해서 열심히 하루하루를 살아간다.

생각해보면 많은 사람들이 꿈을 직업과 연결 짓는다. 어떤 사람이 되고 싶은지, 어떤 인생을 살고 싶은지보다 어떤 직업을 가질지를 꿈으로 여긴다. 꿈은 명사보다 형용사로 꾸는 게 좋다. '무엇'이 되고 싶다. 보다는 '어떤 사람'이 되고 싶다라고 말이다. 꿈마저 현실처럼 딱딱하다면 너무 무미건조한 삶이 될 것이다. 꿈만큼은 좀 더 말랑말랑하게 꾸고 싶다.

꿈의 크기

Boys, be ambitious!

우리는 어려서부터 꿈을 크게 가져야 한다고 배운다. 그러다 보니 큰 꿈이 없으면 보잘것없는 인생처럼 느껴지게 된다. 꿈이 100인 사람과 10인 사람이 있다. 꿈이 100인 사람은 꿈에 절반만 다가가도 50이지만 꿈이 10인 사람은 이뤄내도 고작 10이라는 것이다. 일리가 있는 말이다. 나 역시도 어려서부터 큰 꿈을 갖고 특별한 사람이 되어야 한다고 생각하며 자랐다. 그래서인지 오히려 정확하게 꿈을 정하지 못하고 두리뭉실하게 살아왔던 것 같다. 그러던 어느 날, 잘 다니던 대기업에 사표를 던지고 나와 사업을 시작했다. 나는 성공한 벤처 사업가가 되겠다는 꿈이 생겼고 이내 가슴이 두근거렸다. 주변 사람들의 절반은 우려 섞인 목소리로 걱정해 주었고 나머지 절반은 '너라면 성공할 수 있을 거야'라며 응원해 주었다. 내가 한국의 스티브 잡스가 되지 말라는 법은 없었다. 그렇게 열정으로 똘똘 뭉친 나는 회사를 1년여 동안 운영했고 결과는 처참했다. 자기 집 차고에서 돈도 몇 푼 없이 시작한 사업을 세계 최강의 글로벌 기업으로 키워낸 것은 스티브 잡스였기에 가능한 것이었다. 나는 스티브 잡스가 아니라는 걸 배우는데 너무 비싼 수업료를 지불했다.

꿈을 크게 가질수록 실패할 확률은 높아진다. 실패는 성공의 어머니라고 하지만 그것도 결국 성공한 다음에나 할 수 있는 말이다. 실패는 너무 아프다. 하지만 세상은 성공하는 방법만 가르쳐줄 뿐 실패했을 때는 어떻게 해야 하는지 가르쳐주지 않는다. 세상은 성공한 1%만 이야기한다. 나머지 실패한 99%의 이야기는 잘 들리지 않는다. 그래서 우리는 쉽게 착각한다. 누구나 노력하면 성공할 수 있다고. 하지만 꿈이 클수록 실패도 함께 커져 내가 감당할 수 없는 아픔이 찾아오면 다시 일어서지 못할 수도 있다. 큰 꿈도 좋지만 먼저 나 자신을 객관적으로 바라보고 감당할 수 있을 만큼의 꿈을 꾸는 것도 중요하다.

수많은 축구 꿈나무들이 손흥민 선수를 꿈꾸며 운동을 시작한다. 하지만 수천, 수만의 꿈나무들 중 손흥민 선수처럼 일주일에 1억2천만 원을 버는 세계적인 선수는 한 명 나올까 말까다. 국가대표나 K리그에서 뛸 수 있는 프로 선수가 되는 것도 극소수에 불과하다. 평생을 축구만 하던 아이가 어른이 되어서 나보다 잘하는 사람들이 너무 많다는 걸 깨닫고 절망에 부딪혔을 때 그 아픔은 감당하기 어려울 것이다.

> "천재는 99%의 노력과 1%의 영감으로 이루어진다." 누구나 들어봤을 에디슨의 명언이다.

많은 사람들이 이 말을 '성공하기 위해서는 그만큼 노력이 중요하다'는 것을 강조한 것이라고 생각한다. 하지만 그것은 오해다. 당시 에디슨의 인터뷰 전체 내용을 들어보면, 그의 진짜 의도는 '누구나 노력은 할 수 있지만 진짜 성패는 1%의 영감에 달려있다'는 것을 강조한 것이다. 자신에게는 남들에게 없는 그 1%의 영감이 있었다는 것이다. 아무리 노력해도 이룰 수 없는 것은 분명히 존재한다. 까마득히 보이지도 않는 저 앞의 1% 범주 속 사람들은 분명 우리와 다르다. 태어날 때부터 엄청난 부와 권력을 가졌거나, 비교할 수 없을 만큼 뛰어난 두뇌, 혹은 예술적 재능을 갖고 태어난다. 심지어 그들도 우리처럼 노력까지 한다. 결국 우리와 출발점 자체가 다른 것이다. 너무 비관적이라고 생각할 수도 있다. 하지만 이룰 수 없는 허무맹랑한 크기의 꿈을 꾸며 자신을 허비하기보다 정말 내 손으로 잡을 수 있을 정도의 꿈을 꾸는 것이 좋지 않을까. 그래야 꿈을 향해 달릴 때에도 행복하고 실패하더라도 그 아픔을 감당하고 다시 일어설 수 있을 것이다.

물론 평범한 사람이 순수하게 노력만으로 1%의 성공을 이뤄낸 경우도 있다. 하지만 분명 그들은 우리가 감히 엄두도 낼 수 없을 만큼의 노력을 기울였을 것이다. 노력도 재능이다. 솔직히 내가 봐도 나는 노력의 재능은 없다. 정말 누가 봐도 인정할 수 있을 만큼의 노력을 기울일 수 있는 것도 확실히 능력이다.

요즘은 소소하지만 확실한 행복을 추구하는 소확행이 트랜드로 자리 잡았다. 아무리 노력해도 자꾸만 실패하게 되는 세상에서 멀리 있는 꿈만 좇다 지친 사람들이 작지만 확실하게 얻을 수 있는 행복에 눈을 돌리기 시작한 것이다. 1등이 아니어도 괜찮다. 최고가 아니어도 얼마든지 행복할 수 있다. 내가 이룰 수 없는 꿈을 좇다 지쳐 쓰러지지 말고 확실하게 손에 쥘 수 있는 꿈을 꾸어야 행복할 수 있는 것 같다. 나를 아프게 하는 꿈 말고, 나를 행복하게 하는 꿈을 찾고 싶다.

노력의 배신

아는 동생 중에 이종격투기 챔피언을 꿈꾸던 녀석이 있었다. 초등학교 때부터 남다른 체격과 타고난 힘이 좋아 선생님의 권유로 유도를 시작했다. 겉보기와는 다르게 온순했던 이 녀석은 사춘기 때에도 방황하지 않고 누구보다 열심히 훈련에 임했다. 하지만 시합에 나가면 항상 성적이 좋지 않았다. 그래도 포기하지 않고 하루 종일 뛰고 구르며 단련했다. 그렇게 학창 시절을 전부 운동에 바쳤지만, 현실은 냉정했다. 체대에 진학하지도 않았고 유도도 그만두었다. 사실 진작에 그만두고 공부든 뭐든 다른 길을 찾았어야 했지만, 그동안 흘린 땀이 아까워 그만두지 못했다고 한다. 남들보다 더 노력했으니 언젠가는 빛을 볼 수 있을 거라 믿었던 것이다. 결국 이 녀석은 사회에 나올 준비를 아무것도 하지 못한 채 성인이 되었다. 그리고 잠시 방황의 시간을 가졌다. 그동안 체중 조절 때문에 먹지 못했던 음식을 실컷 먹고 술도 마셔보고 집에서 뒹굴거리며 나태함을 즐겼다. 초등학교 이후 처음으로 몸이 편안하다는 기분을 느꼈지만, 마음은 그 어느 때보다 불안했다고 한다.

하루는 이 녀석이 TV를 보다 이종격투기 시합을 보게 되었다. 링 위에서 피 터지게 싸우는 선수들을 보자 피가 끓는 걸 느꼈다고 한다. 그는 바로 이종격투기 체육관을 찾아갔다. 격투기 챔피언이라는 새로운 꿈이 생긴 것이다. 체육관에서 처음 그를 보고 무척이나 반겼다고 한다. 수년간 유도로 다져진 몸에 넘치는 열정은 당장에라도 챔피언이 될 기세였다. 그렇게 수년간 피나는 훈련이 다시 시작되었다. 내가 아는 한 이 녀석만큼 혹독하게 자신을 벼랑 끝까지 몰아가며 노력하는 사람은 없었다. 심지어 건장한 골격과 힘까지 타고났다. 그런데 왜 계속 시합에서 지는 걸까. 체육관에서도 답답해했다. 좋은 체격 조건에 누구보다 열심히 단련한다는 것을 알기에 더더욱 안타까워했다. 사실 이 녀석에게는 한가지가 부족했다. 순발력이었다. 힘은 좋았지만 상대를 제압할 수 있는 속도가 부족했던 것이다. 이것은 그가 꿈꾸는 영역에서 꼭 필요로 하는 재능이었고 도저히 노력으로는 뛰어넘을 수가 없었다. 그렇게 이 녀석은 노력에게 배신당했고, 그의 20대도 후반을 향해 달려갔다.

결국 격투기를 그만두고 먹고 살길을 찾아야 했다. 그러다 우연히 지인의 소개로 수입차 딜러 일을 배우게 되었다. 그는 듬직한 체격에 담백한 목소리를 가졌다. 거기에 허세나 꾸밈이 없고 순수했다. 정직하고 올곧은 성격은 그의 눈빛만 봐도 느껴졌다. 이 녀석에게는 사람들로부터 신뢰를 얻는 특별한 재능이 있었던 것이다. 화려한 언변이 아닌 담담하게 내뱉는 그의 말은 왠지 모르게 믿음이 갔다. 그가 설명하는 제품은 분명 좋은 제품일 거라는 확신이 들었다. 지금 그는 억대 연봉을 받는 잘나가는 수입차 딜러가 되었다.

천재는 노력하는 자를 이길 수 없다는 말이 있다. 하지만 천재가 노력하는 순간 평범한 사람은 따라잡을 수 없게 된다. 그리고 슬프게도 대부분의 천재들 역시 노력한다. 그럼 우리 같은 평범한 사람들은 평생 루저로 살아야 하는 걸까. 죽어라 노력해봤자 아무 소용 없는 걸까. 나는 분명 모든 사람에게 최소한 하나씩의 재능은 있다고 생각한다. 천재까지는 아니더라도 평균 이상으로 조금 더 타고나는 부분 말이다. 꿈에 다가가기 위해서는 '얼마나' 노력했는지보다 '어디에' 노력을 쏟았는지가 더 중요한 것이 아닐까.

만약 국민 MC 유재석이 평생 동안 축구를 했다면 축구선수로도 최고의 자리에 올랐을까. 손흥민 선수가 어려서부터 축구가 아닌 피아노를 쳤다면 세계적인 피아니스트가 되었을까. 세계 최고의 프로게이머 페이커 이상혁 선수가 학창시절 게임이 아닌 공부를 했다면 연 수 십억을 버는 성공을 이룰 수 있었을까. 살면서 '노력은 배신하지 않는다'는 말을 맹신하는 것도 위험한 것 같다. 만약 아무리 노력해도 원하는 성과가 나오지 않는다면 과연 내가 올바른 곳에 노력을 쏟고 있는 건지 자신을 되돌아볼 필요가 있다.

명문대 학생들도 전부 틀린
우리나라 초등학교 교과서 문제

예전에 EBS에서 흥미로운 실험을 하나 진행했다. 명문대 학생들 몇 명을 모아놓고 우리나라 초등학교 교과서에 실린 문제를 풀게 했다. 문제는 다음과 같았다.

1. 친구가 교통사고를 당했을 때 해야 할 일로
   바르지 않은 것은?

① 어른들에게 도움을 요청한다
② 119에 전화를 건다
③ 112에 전화를 건다
④ 친구를 부축해 병원에 간다
⑤ 사고를 낸 자동차의 번호를 적는다

문제를 본 나는 좀 애매했지만, 굳이 골라야 한다면 4번이라고 생각했다. 실험에 참여한 대부분의 대학생들 역시 4번을 선택했다. 아직 나이가 어리기 때문에 친구를 부축할 힘이나 상황 판단력이 부족할 수 있다는 이유였다. 실제로 교통사고가 났을 때 척추 등의 위험한 부위를 다쳤을 경우 함부로 옮겼다가는 상황이 악화될 수 있다. 그런데 충격적이게도 답은 2번이었다. 교과서의 해설에 따르면 112에 전화를 하면 알아서 구급차를 보내주기 때문에 119에 따로 전화할 필요가 없다는 것이었다. 정말 당혹스러움을 감출 수가 없었다. 그런데 다음 문제는 더 가관이었다.

2. 더운 날에 짜증을 내면 모두가
기분이 안 좋기 때문에필요한 것은?

문제는 주관식이었다. 대학생들은 당황해하며 답이 하나인 것이 맞냐고 연신 되물었다. 물론 교과서에서 정한 해답은 하나였다. 대학생들은 에어컨, 아이스크림, 부채, 인내심 등 다양한 답을 내놓았다. 하지만 교과서에서 말하는 정답은

'배려'였다. 물론 배려가 틀린 말은 아니다. 단지 다양한 답이 존재할 수 있는 문제를 정답 하나만 정해놓고 강요하는 우리나라의 교육 현실이 씁쓸할 뿐이었다. 대학생들은 이런 교과서로 배우는 우리 아이들에게 안타까움을 나타냈다. 그렇다면 정확한 답을 요구하는 수학 문제는 어떨까? 이어서 세 번째 문제가 나왔다.

3. 만약 당신이 시험문제의 출제자라면
둘 중 어느 문제를 선택하겠습니까?

① 8 + ( )= 10
② ( ) + ( ) = 10

이 실험 영상을 보던 나도 그렇고 실험에 참가한 모든 대학생이 1번을 선택했다. 이유는 1번 문제는 답이 정해져 있고 2번 문제는 답이 너무 많아 시험 문제로는 애매하다고 생각했기 때문이다. 그런데 제작진으로부터 돌아온 답변은 모두를 멘붕에 빠뜨렸다. 1번은 우리나라 초등학교 문제이고 2번은 스웨덴의 초등학교 문제였다. 단 하나의 정답만 필요로 하는 문제와 다양한 정답을 찾을 수 있게 하는 문제였던 것이다. 놀랍게도 나뿐만 아니라 조금 전까지 하나의 정답만 요구하는 우리나라의 교육을 안타까워하던 대학생들이 정작 자신이 시험 출제자가 되었을 때 이러한 선택을 한 것이다. 결국 우리 모두가 똑같은 교육 환경 속에서 자랐기 때문이 아닐까.

한번은 최승호 시인이 자신의 시로 출제된 수능 모의고사 문제를 풀어봤다. 그런데 놀랍게도 문제를 전부 틀렸다. 그는 "작가의 의도를 묻는 문제를 진짜 작가가 모른다면 누가 아는 건지 미스터리 하다"며 쓴소리를 전했다. 교과서는 우리 아이들이 사회에 나와 세상을 살아갈 지식과 교양을 배우는 지침서이자 나침반이다. 그런데 우리 아이들은 이러한 답정너 식의 교과서로 획일적인 답만을 강요받고 있다. 이런 교육 환경 속에서 오로지 좋은 대학에 들어가는 것 외에 과연 무슨 꿈을 꿀 수 있을까?

학업을 마치고 취업 전쟁에 뛰어든 청년들을 향해 면접관은 이렇게 말한다.

"요즘 젊은이들은 개성도 없고, 창의력도 없고,
주체성도 없어!"

그게 정녕 우리들만의 탓입니까!

태산을 오르는
7천개의 계단

중국에서 대학을 다니던 시절, 가장 친하게 지내던 일본인 친구와 함께 산둥성으로 여행을 갔다. 이번 여행의 가장 큰 목적은 태산에 올라 일출을 보는 것이었다. 태산은 중국의 5대 명산 중 하나로 옛날부터 중국인들이 가장 신성하게 여겨온 산이라고 한다. 나는 등산을 그렇게 좋아하는 편은 아니었지만, 태산만큼은 꼭 올라보고 싶었다. 일출을 보기 위해서는 새벽 1시에 출발해야 했기에 전날 초저녁부터 억지로 잠을 청했다. 1시가 되자 우리는 몽롱한 상태로 버스에 몸을 실었다. 태산 입구에 도착해 버스에서 내렸는데, 정말 칠흑 같은 어둠에 한 치 앞도 보이지 않았다. 믿을 것이라고는 손에 쥐어진 작은 손전등뿐이었다.

태산은 정상까지 오르는 등산로가 전부 돌계단으로 되어 있었다. 계단의 수가 무려 7천 개가 넘는다고 한다. 우리는 손전등에 의지한 채 계단을 하나씩 오르기 시작했다. 손전등이 비춰주는 발 앞의 계단 말고는 아무것도 보이지 않았다. 잠에 취해 몽롱한 상태로 하염없이 계단을 올랐다. “옆에 있어?” 친구가 멀어지지 않고 옆에 잘 붙어있는지 한 번씩 확인하는 것 말고는 계속해서 계단만 밟았다. 다리는 무거웠지만, 마음만큼은 설레고 가벼웠다.

몇 시간을 올랐을까. 드디어 정상에 도착했다. 정상에서 바라본 하늘은 경이로움 그 자체였다. 검은색 캔버스에 수많은 별들이 촘촘하게 그려져 있었다. 태어나 이렇게 별을 가까이 본 것은 처음이었다. 별이 쏟아질 것 같다는 표현이 더 이상 추상적인 표현이 아니었다. 나는 경이로움을 넘어 조금 무섭기까지 했다. 한창 별에 혼이 나가 있다가 정신을 차려보니 친구와 나는 오들오들 떨고 있었다. 한 여름이라 반팔을 입고 왔지만, 태산 정상의 체감 온도는 영하였던 것이다. 주변을 둘러보니 돈을 받고 두꺼운 외투를 빌려주는 사람이 있었다. 잽싸게 외투로 몸을 감쌌지만, 다음날 우리는 감기에 걸려 칭다오에 가서도 해수욕을 즐기지 못했다.

추위에 떨며 별을 한참 감상하고 나니 서서히 해가 떠올랐다. 그런데 무슨 운명의 장난인지 심한 안개로 해가 떠오르는 장면은 전혀 볼 수가 없었다. 십여 년이 지난 지금도 그때 생각만 하면 너무나 아쉽다. 그래도 별구경은 실컷 했으니 아쉬운 마음은 접어두고 산을 내려가기 위해 계단 입구로 향했다. 입구에 도착한 친구와 나는 입이 떡하고 벌어지고 말았다. 끝없이 이어지는 계단을 보고는 현기증까지 나는 듯했다.
"우리가 이걸 올라온 거야?"

터벅터벅 계단을 내려오면서 올라오는 사람들과 마주쳤다. 그중 짐꾼들이 눈에 띄었다. 맨발에 반바지 하나만 걸친 채 어깨에 짊어진 나무 막대 양쪽 끝에는 물이 한 통씩 매달려 있었다. 온몸은 햇볕에 그을려 새까맣고 다리의 근육은 터질 듯이 불끈거렸다. 이들은 정상에다 물을 팔기 위해 매일같이 태산을 오르고 내린다. 계단을 내려오며 수 없이 마주친 짐꾼들의 모습이 아직도 내 기억에 잔상으로 남아있다.

한참을 내려와 드디어 계단 끝에 도착했다. 나는 몸을 돌려 내가 내려온 계단을 올려다보았다. 계단의 끝은 까마득해 잘 보이지도 않았다. 그리고 이런 생각이 들었다. '만약 새벽에 산을 오를 때 저 끝없이 뻗어있는 계단이 보였다면 마냥 가볍고 설레는 마음으로 오를 수 있었을까?'

이제 와서 돌이켜 보면 태산을 오르는 7천 개의 계단이 내가 살아가는 삶의 길과 무척이나 닮아있다는 생각이 든다. 끝없이 펼쳐진 계단처럼 저 멀리 잡히지 않을 듯한 꿈을 향해 올라가는 게 마냥 즐겁지만은 않았다. 칠흑 같은 어둠 속에서 손전등으로 비춰진 바로 앞의 계단만 하나씩 밟다 보면 정상에 다다르듯, 우리도 그냥 눈에 보이는 하루하루를 열심히 살다 보면 결국 어딘가에는 도착하지 않을까. 삶을 살아가는데 꼭 꿈이 있어야만 하는 걸까. 때로는 너무 높이 있는 꿈을 보고 올라가기도 전에 겁을 먹어 더 일찍 포기하고 싶어지는데, 보이지도 않는 꿈을 억지로 찾으며 초조해하다가 오늘 하루가 불행해지는데, 지금 이 순간이 즐겁고 행복하다면 그걸로도 괜찮지 않을까?

물통을 짊어지고 계단을 오르던 짐꾼들을 가만히 떠올려보면 어느 누구도 위를 바라보지 않았다. 모두들 하나같이 고개를 숙인 채 자신의 발을 바라보고 묵묵히 계단을 올랐다. 나도 이제는 겁나지 않을 정도의 높이를 향해 눈앞에 보이는 계단만 하나씩 밟으려 한다.

사랑에 관한 이야기

그 눈빛은 세상에서 가장 아름답고 사랑스러운 누군가를 바라볼 때에만 나올 수 있는 그런 눈빛이었다. 여자가 미소띤 얼굴로 속삭이자 남자도 미소를 띠우며 그녀의 머리카락을 쓰다듬었다.

첫사랑

첫사랑이 실패하는 이유는

사랑을 주는 법을 몰랐기 때문이다

첫사랑이 아픈 이유는

사랑을 받는 법을 몰랐기 때문이다

첫사랑이 평생 잊혀지지 않는 이유는

사랑이 그렇게 아픈 건지 처음 알았기 때문이다

첫사랑을 다시 만나면 실망하는 이유는

우리가 더 이상 그때처럼 순수하지 않기 때문이다

사랑의 유통기한

얼마 전 친한 친구의 결혼식에 다녀왔다. 아름다운 신부를 맞이하는 친구 녀석의 얼굴에는 행복한 미소가 가득했다. 나와 친구들은 마치 우리가 키워 장가보낸 양 뿌듯한 마음으로 축하의 박수를 보냈다. 입이 귀에 걸렸다며 한창 새신랑을 놀리고 있는데 결혼 4년 차인 친구 놈이 "언제까지 저렇게 웃을 수 있나 보자"라는 말과 함께 의미심장한 미소를 지었다.

식이 끝나고 오랜만에 모인 친구들과 식사를 하며 한껏 수다를 떨었다. 이 중에는 일찍 결혼해 아이가 둘인 친구도 있었고, 5년째 연애 중인 녀석도 있었고, 나처럼 솔로인 녀석도 있었다. 자리가 자리인 만큼 이야기의 주제는 자연스럽게 결혼으로 이어졌다. 친구 중 아직 결혼에 관심 없다는 한 녀석이 결혼 4년 차인 친구에게 “결혼 생활 어때?”라는 식상한 질문을 던졌고 “너네는 절대 하지 마!”라는 식상한 답변이 돌아왔다. 그러다 여자친구와 결혼을 생각 중인 친구가 진지하게 다시 묻자 그 녀석도 사뭇 진지하게 결혼생활의 좋은 점들을 들려주며 빨리하란다.(혼자 죽을 수 없다며.) 그리고 스킨십 이야기가 나왔다. 결혼 4년 차인 친구는 가족끼리 그런 거 하는 거 아니라며 팔짝 뛰었다. 그래도 이 친구네 부부는 꽤나 금슬이 좋아 보였는데 벌써 의리로 살고 있단다.

결혼식에 다녀오는 길엔 언제나 마음이 싱숭생숭하다. 딱 꼬집어 말하기 힘든 묘한 기분이다. 확실히 나이가 들수록 결혼하고 싶다는 생각이 들기는 한다. 특히 결혼식에 하객으로 참석하는 횟수가 늘수록 더 그런 것 같다. 그런데 주변에 결혼한 사람들을 보면 열이면 열 모두 사랑이 아닌 의리로 산다고 한다. 이런 이야기를 들으면 조금 걱정이 되기도 한다. 그들도 분명 처음에는 불같이 뜨거운 사랑을 했을 텐데.

사랑에 유통기한이 있는 걸까? 가슴 아픈 이야기지만 의

학적으로는 유통기한이 분명 존재한다. 남자와 여자가 사랑에 빠지면 우리 몸에는 각종 호르몬이 분비된다. 도파민은 뇌 신경 세포에 흥분을 전달하고 엔도르핀은 기분을 좋아지게 한다. 특히 페닐에틸아민 수치가 올라가면 이성이 마비되고 열정이 뿜어져 나와 행복감에 취하게 된다. 거기에 흥분과 긴장, 쾌감까지 동반하며 황홀감에 빠져 상대에게 미쳐버리게 된다. 한마디로 눈에 콩깍지가 씌워지는 것이다. 그리고 육체적 사랑을 느끼게 하는 옥시토신까지 분비되면 사랑에 눈이 멀어 아무것도 손에 잡히지 않게 된다.

이렇게 누군가에게 푹 빠져 설레는 사랑이 평생 간다면 얼마나 좋을까. 하지만 이 사랑의 호르몬은 끊임없이 분비되는 게 아니라 보통 18개월에서 길어봐야 36개월 정도면 끝난다고 한다. 결국 사랑의 유통기한은 평균 2년 정도인 것이다. 사랑의 호르몬 분비가 멈추면 더 이상 상대에게 설레지 않게 되고, 그 동안 안 보였던 단점들이 눈에 들어오기 시작한다. 그리고 이 시기가 두 사람에게 동시에 찾아온다는 법은 없다. 결국 호르몬 분비가 멈춘 쪽은 연인 사이의 갑이 되고, 아직 분비가 진행 중인 쪽은 을이 된다. 그렇게 점점 싸우는 횟수는 잦아지고 결국 헤어져 버린다. 결혼한 경우에는 의리와 책임감으로 살거나 이혼을 결심하기도 한다.

이렇게 연인들은 호르몬 분비가 멈추면 사랑이 식었다고, 사랑이 변했다고 쉽게 단정 지어버린다. 그런데 과연 사랑이란 무엇일까? 열정 넘치고 설레는 마음만이 사랑이라면 정말 유통기한이 있겠지만 국어사전에서는 사랑을 이렇게 명시하고 있다. '어떤 사람이나 존재를 몹시 아끼고 귀중히 여기는 마음'

연애를 시작할 때 여자친구가 이런 말을 할 때가 있다. "시

간이 지나도 절대 변하지 않는다고 약속해줘!" 그럴 때면 나는 솔직하게 이야기한다. 나도 너도 분명히 변할 거라고. 지금 마음이 평생 간다는 건 불가능하다. 하지만 지금과 다르다고, 열정이 좀 식는다고, 함께 있을 때 심장이 미친 듯이 뛰지 않는다고 그게 사랑하지 않는다는 의미는 아니다.

단지 사랑의 한 단계일 뿐이다. 설레고 열정 넘치는 단계가 지나면 서로 신뢰가 쌓이고 정이 두터워지며 말로 표현할 수 없는 깊은 교감이 형성된다. 그리고 상대는 나의 일부이자 가장 소중한 사람이 된다. 이런 느낌은 연애를 막 시작할 때에는 느낄 수 없는 것들이다. 나는 처음의 설렘보다는 이런 깊고 편안한 느낌이 더 좋다.

결혼 4년 차인 친구가 결혼하고 가장 좋은 게 뭐냐는 질문에 이렇게 대답했다. "만약 지금 와이프랑 헤어지면, 다시 누군가와 처음부터 서로에 대해 알아가고, 잘 보이기 위해 노력하고, 콩깍지가 벗겨지면 실망하고, 다시 서로 이해하고. 이런 과정을 또 겪어야 한다는 게 너무 끔찍해! 평생 헤어지지 않을 여자친구가 있다는 게 너무 좋다!"

잊혀지지 않는 남자의 눈빛

몇 년 전, 당시 여자친구와 함께 장을 보러 마트에 간 적이 있다. 우리는 이것저것 맛있는 것들을 카트에 담고 계산하기 위해 줄을 서서 기다리고 있었다. 그러다 무심코 저 앞에 줄 서 있는 한 커플의 뒷모습이 눈에 들어왔다. 훤칠한 키의 남자는 누가 봐도 시선이 멈출 만한 훈남이었고 남자의 넓은 어깨에 기대어 있는 여자의 뒷모습 역시 아름다웠다. 여자친구와 나는 넋을 잃고 그 커플을 감상하고 있었다. 그러다 그만 너무 놀라 시선을 잃어버렸다. 계산을 마치고 돌아선 여자의 얼굴 절반이 화상으로 온통 일그러져 있었기 때문이다. 솔직히 징그럽기까지 했다. 그런데 나를 진짜 놀라게 했던 건 그녀의 얼굴이 아니라 그녀를 바라보고 있던 남자의 눈빛이었다.

그 눈빛은 세상에서 가장 아름답고 사랑스러운 누군가를 바라볼 때에만 나올 수 있는 그런 눈빛이었다. 여자가 미소 띤 얼굴로 속삭이자 남자도 미소를 띄우며 그녀의 머리카락을 쓰다듬었다. 여자도 남자도 서로 외에는 그 누구도 신경 쓰지 않는 듯했다. 마치 세상에 그 둘만 존재하는 것 같았다. 계산을 마친 커플은 물건을 다시 카트에 담아 유유히 사라져 갔다. 나는 알 수 없는 먹먹함에 잠시 멍해졌다. 점점 멀어지는 커플의 뒷모습에 너무나 진한 여운이 남았다. 그때, 여자 친구가 나에게 물었다. 만약 자기 얼굴이 흉측하게 일그러져 있어도 자길 사랑하겠냐고. 나는 '당연하지! 자기가 어떤 얼굴이어도 난 자기를 사랑할 거야!'라는 모범답안을 알고 있었지만, 이상하게도 이 뻔하고 별거 아닌 질문에 순간 나 혼자 진지해져 버렸다.

그 남자의 눈빛 때문이었을 것이다. 난 모범답안을 말하긴 했지만, 바보같이 몇 초 동안 뜸을 들이고 대답하는 실수를 범하고 말았다. 대답의 문장만큼이나 중요한 것은 질문이 끝나기도 전에 모범답안을 말하는 타이밍이었다는 걸 알면서도 말이다. 나의 망설임은 몇 초였지만 토라진 여자친구를 달래는 데에는 꽤 오랜 시간이 걸렸다.

수년이 지난 지금도 난 가끔 화상 입은 얼굴의 여자를 너무나도 사랑스럽게 바라보던 그 남자의 눈빛이 떠오른다. 나는 과연 흉터로 얼굴이 일그러진 여자를 사랑할 수 있을까? 만약 내 얼굴이 그렇다면 날 사랑해주는 사람이 있을까?

우리가 반드시 솔로로 살아야 하는 이유

커플들을 보면 이해가 가지 않는다. 솔로로 사는 게 얼마나 행복한데, 왜 사서 고생하는지 말이다. 지금부터 반박불가! 우리가 반드시 솔로로 살아야 하는 이유를 말해 보겠다.

첫 번째,
금전적으로 엄청난 여유가 생긴다!

한 결혼정보업체의 조사에 따르면 우리나라 미혼남녀의 평균 데이트 횟수는 주 1.9회, 데이트 1회당 평균 비용은 55,900원으로 나타났다. 보통 데이트를 주 2회 한다고 했을 때, 10년간 순수하게 들어가는 데이트 비용이 무려 58,136,000원이다. 여기에 기념일마다 사는 선물, 데이트를 위해 구매하는 옷이나 액세서리 등 추가비용까지 들어간다.

우리가 10년 동안 솔로로 지낸다면 벤츠 한대는 거뜬히 몰 수 있다.

두 번째,
감정소모가 적어 정신 건강에 이롭다!

누구나 한 번쯤은 애인의 말 한마디에 오늘 하루 내 기분과 컨디션이 왔다 갔다 했던 경험이 있을 것이다. 그러다 싸움이라도 하게 되면, 생각만 해도 벌써 피곤하다. 한의학에서는 인간의 감정을 희노우사비공경喜怒憂思悲恐驚 일곱 가지로 나누고 칠정七情이라 하며, 이 감정들이 지나치게 되면 몸의 기를 상하게 하고 관련된 장기를 손상시켜 질병을 유발한다고 한다. 특히 화가 지나치면 혈액을 손상시켜 간과 쓸개를 다치게 하고 지나친 고민은 비장을 상하게 하며, 슬픔은 오장의 기능을 손상시킨다. 안 그래도 힘든 세상인데 애인이 있으면 지나친 감정 소모로 제명에 죽기는 어려울 것이다.

세 번째,
마음껏 덕질을 할 수 있다!

일본어 '오타쿠'는 원래 상대방 혹은 제 3자의 집을 높여 부르는 말이라고 한다. 그런데 1983년 일본의 칼럼니스트 나카모리 아키오가 로리콘만가지에 게재한 칼럼에서 '집 안에만 틀어박혀 사회성이 부족한 사람'이라는 의미로 처음 공식 언급된 이후 부정적인 인식으로 사용되어 왔다. 하지만 요즘 우리나라에서 덕후라고 줄여 부르며 '어떤 분야나 특정 인물에 대해 남다른 열정과 애정을 바치는 사람'이라는 긍정적인 의미로 쓰이게 되었다. 현재 우리나라에는 공식적으로 파악이 가능한 선에서만 무려 200팀에 가까운 걸그룹이 활동하고 있고, 지난 10년 동안 150여 팀의 보이그룹이 정식 데뷔했다. 그리고 전 세계의 드라마와 애니는 지금부터 죽을 때까지 봐도 다 못 볼 만큼 쏟아져 나오고 있다. 의식주를 해결하기 위한 시간을 제외하고 모든 시간을 다 바쳐도 덕질을 위한 시간은 부족하다. 행복한 덕후들에게는 애인 따위 신경 쓸 겨를이 없다.

네 번째,
친구, 가족 등 주변사람들과의 대인관계가 돈독해진다!

커플들의 주말 스케줄은 거의 항상 정해져 있다. 평일에도 남는 시간은 주로 애인과 함께 보내게 된다. 그러다 보니 친구나 주변 지인들과 조금씩 멀어지게 된다. 특히 여사친, 남사친과는 거의 절교에 가까워진다. 인간은 사회적 동물로 여러 사람과 함께 더불어 살아야 한다. 사회심리학과 뇌과학을 접목시킨 사회신경과학의 창시자인 존 카치오포의 연구결과에 따르면, 자신이 사회에서 고립됐다고 만성적으로 느끼는 상태는 정서적 불안을 초래하고 면역력을 약화시켜 노화 과정을 가속화 한다고 한다. 또한 사회적으로 외로움을 느끼는 사람은 고혈압 발병률이 37%나 더 높고, 스트레스 수치는 무려 50%나 높아진다고 한다. 반면 사회적인 사람은 신진대사율이 37%나 높고, 심장마비를 일으킬 확률이 41%나 낮다고 한다. 애인 때문에 사회생활을 못 하다가 목숨이 위험해질 수도 있다!

다섯 번째,

새로운 사람들과의 설렘을 느낄 수 있다!

온 세상 남자들의 공통적인 이상형 1위는 예쁜 여자도 청순한 여자도 섹시한 여자도 아니다. 바로 처음 본 여자라고 한다. 그냥 웃어넘기기엔 뼈가 있는 농담이지만 어쨌든 남자든 여자든 새로운 사람을 만나 사랑의 호르몬이 분비되며 설렘을 느끼는 것은 정말 즐겁고 행복한 일이다. 하지만 애인이 있다면 엄청난 제약이 따른다. 어떤 모임에 나가기도 눈치 보이고 특히 새로운 이성은 쳐다보지도 못한다. 그런데 우리 솔로들은 언제 어디서든 새로운 만남이 기다리고 있다. 생각만 해도 설레지 않은가!

여섯 번째,
오직 나만을 위한 선택을 할 수 있다!

사람이 태어나 죽을 때까지 평균적으로 300만 번의 선택을 하게 된다. 이러한 수많은 선택들이 쌓이고 쌓여 내 인생의 길이 정해지는 것이다. 가끔은 단 한 번의 선택으로 인생이 바뀌기도 한다. 이런 중요한 선택을 할 때에는 정말 신중하게 고민하고 결정을 내려야 한다. 하지만 애인이 있다면 무언가를 선택하고 결정할 때 충분히 자유로울 수가 없다. 무슨 옷을 살지, 어떤 헤어스타일을 할지 같은 사소한 문제부터 진로 문제나 이직 문제 같은 인생이 바뀌는 중요한 선택의 기로에서 애인의 존재는 분명 영향을 끼치게 된다. 애인의 현명한 조언이 도움이 될 수도 있겠지만 잘못된 판단으로 인생이 잘못된 길로 접어들 수도 있다. 오직 솔로만이 객관적이고 100% 자신을 위한 결정을 내릴 수 있는 것이다!

그래, 나도 안다. 이거 다 헛소리다. 솔로여서 좋은 점이 백만 가지가 있다 한들, 그걸 다 합쳐도 사랑하는 사람과 함께 있어 행복한 마음 하나를 이기지 못한다. 젊은이들이여! N포 세대고 잣이고 간에 사랑 만큼은 포기하지 말자! 사랑에 때와 시기가 따로 있겠냐 만은, 젊은 시절에만 할 수 있는 불같이 뜨거우면서도 순수한 사랑을 못 해보고 나이가 든다면 평생 후회할 것이다.

알고 보면 충격적인
로미오와 줄리엣의 사랑

죽음도 불사한 애틋하고 뜨거운 사랑 이야기인 셰익스피어의 로미오와 줄리엣은 세계에서 가장 유명한 러브스토리일 것이다. 어느 날, 무도회장에서 만난 로미오와 줄리엣은 서로 첫눈에 반해 결혼을 약속한다. 이튿날, 이 둘은 대대로 원수지간인 가족들 몰래 결혼식을 올린다. 그리고 로미오는 친구의 죽음을 복수하기 위해 줄리엣의 오빠와 결투를 벌이다 그를 죽이게 된다. 셋째 날, 로미오는 타 지역으로 도피하고 줄리엣은 다른 사람과 결혼하라는 아버지의 명령 때문에 죽은 척 잠드는 약을 먹는다. 넷째 날, 로미오는 줄리엣이 진짜 죽은 줄 알고 그녀와 함께하고자 스스로 목숨을 끊는다. 다섯째 날, 뒤늦게 잠에서 깨어난 줄리엣 역시 로미오를 따라 죽음을 선택한다. 그렇다. 이 뜨겁고 비극적인 사랑은 고작 5일 동안 일어난 일이다. 로미오와 줄리엣은 세상에서 제일가는 금사빠였던 것이다!

살다 보면 한 번쯤은 누군가에게 첫눈에 반해본 경험이 있을 것이다. 나도 가끔은 누군가에게 첫눈에 반해 주체할 수 없을 정도의 속도로 마음이 커져 버려 당황했던 경험이 있다. 그런데 주변을 둘러보면 유독 고질적으로 금방금방 사랑에 빠져버리는 사람들이 있다. 내 친구 중에도 수시로 좋아하는 여자가 바뀌는 녀석이 있다. 그렇다고 동시에 여러 여자를 사랑하는 바람둥이도 아니다. 어제는 A를 좋아했지만, 오늘은 B를 좋아하고, 내일은 C를 사랑하게 되는 것이다. 누가 뭐라 해도 그 친구에게는 순간순간이 진심이다. 물론 대부분 혼자 좋아하다 끝나기는 하지만.

이렇게 쉽게 사랑에 빠지는 사람들에 대한 흥미로운 연구가 하나 있다. 미네소타 대학의 일레인 월스터 교수는 여러 명의 여성들을 불러 성격 테스트를 진행했다. 그리고 이들을 두 그룹으로 나누었다. 한쪽은 성격이 아주 좋다는 결과를 받았고, 나머지 한쪽은 성격이 별로라는 결과를 받았다. 그런데 이 성격 테스트의 결과는 가짜였다. 실험을 위해 임의로 주어진 결과였다. 참가자들이 테스트 결과를 보고 난 후 혼자 남아있는 실험실에 준수한 외모의 한 남성을 들여보냈다. 교수님의 제자라고 자신을 소개하는 남성과 잠시 대화를 나누게 했다. 그렇게 모든 실험이 끝나고 교수는 여성들에게 마지막에 만난 남성에 대한 호감도를 물었다. 그런데 한쪽 그룹의 여성들에게서 매우 높은 호감도가 나타났다. 그 그룹은 신기하게도 성격이 별로라는 결과를 받은 그룹이었다.

이런 결과가 나온 이유는 참가자들의 '자신감 하락' 때문이라고 한다. 성격이 별로라는 결과를 받은 참가자는 자신감에 상처를 입고 자신도 모르는 사이 스스로를 저평가하게 된다. 그 결과 상대적으로 눈앞의 대상을 나보다 나은 사람으로 받아들이고 실제보다 더 매력적인 사람으로 보게 되는 것이다. 평소 타인에게 거절을 자주 당하거나, 자기 비하를 많이 하는 사람일수록 쉽게 사랑에 빠질 가능성이 높다는 연구 결과도 있다. 쉽게 사랑에 빠지면서도 막상 고백은 못 하는 이유가 이런 것이었을까? 물론 언제나 예외는 있다. 특히 사람과 심리에 대한 이론은 더욱더 그런 것 같다. 수많은 사람들의 마음을 몇 가지 카테고리로 나눌 수는 없으니 말이다. 하지만 만약 내가 너무 쉽게 쉽게 사랑에 빠진다면 그만큼 나 자신도 사랑하고 있는지 한번 깊게 생각해 볼 필요도 있다.

우리에게 애인이 없는 이유

솔로가 된 지 벌써 2년이 다 되어간다. 1년쯤 되었을 때, 외로움을 견디지 못하고 강아지를 한 마리 데려왔다. 글을 쓰고 있는 지금도 책상 밑에 누워 쌔근쌔근 자고 있다. 사랑스러운 요 녀석을 보고 있자면 외로움이 좀 가시는 듯하다. 하지만 언제까지고 강아지와 둘이서 살 수는 없지 않은가. 빨리 연애도 하고 장가도 가야 하는데 그게 참 쉽지가 않다. 그래도 20대 때에는 크리스마스를 혼자 보낼 때보다 누군가와 함께 한 적이 더 많았던 것 같다. 그런데 30대가 된 이후에는 확실히 예전보다 누군가와 만나는 게 어려워졌다. 소개팅도 몇 번 해봤지만, 인연을 만나지 못했다. 예전에 비해 뭔가 신중해진 느낌이다. 그렇다고 눈이 높아진 것은 아니다. 그리고 20대에 만났던 친구들을 가볍게 만났다는 의미도 절대 아니다. 단지 나이가 들수록 누군가와 인연을 맺는 것에 대해 걱정부터 앞서는 듯하다.

사랑에도 사람마다 총량의 법칙이 있는 것 같다. 어렸을 땐 누군가와 뜨거운 사랑을 하고 헤어져도 새로운 사람을 만나 이별의 아픔을 극복했다. 그런데 그런 과정을 여러 번 거치고 나니 점점 새로운 누군가를 만나는 것에 지쳐간다. 누군가를 처음부터 알아가고, 호감을 얻기 위해 노력하고, 평생 다른 삶을 살아왔던 이를 이해하는 과정들이 점점 힘겨워진다. 물론 이 총량의 크기는 사람마다 다르겠지만 나는 이제 새로운 사람과 사랑할 수 있는 마음이 남아돌지는 않는 것 같다. 외롭지만 귀찮다. 이제는 정말 나에게 맞는 인연을 만나고 싶다. 나는 언제쯤 내 인연을 만날 수 있을까.

2010년, 영국 워릭대의 수학 강사 피터 배커스가 흥미로운 논문을 하나 발표했다. 자신에게 3년 동안 여자친구가 생기지 않자 수학자답게 솔로인 사람이 본인의 이상형을 만나게 될 확률을 계산해 본 것이다. 이때 그는 드레이크 방정식을 활용했는데, 1961년 미국의 천문학자 프랭크 드레이크가 고안한 방정식으로, 인간과 교류할 수 있을 정도의 지적 외계생명체의 수를 계산하는 방정식이다. 배커스는 드레이크 방정식의 각 변수를 자신의 이상형과 관련된 여성의 수와 비율을 대입해 한 번의 외출로 자신의 이상형을 만날 확률을 계산해 보았다.

드레이크 방정식

$$\mathbf{N} = \mathbf{R} \times \mathbf{F_p} \times \mathbf{N} \times \mathbf{F_F} \times \mathbf{F_L}$$

$\mathbf{N}$: 통신이 가능한 똑똑한 외계인 수

$\mathbf{R}$: 우리은하의 별의 수 / 별의 평균 수명

$\mathbf{F_p}$: 행성을 가진 별의 비율

$\mathbf{N_e}$: 생명체가 살 수 있는 행성의 수

$\mathbf{F_l}$: 행성에서 생명체가 탄생할 확률

$\mathbf{F_I}$: 생명체의 지능이 발전항 확률

$\mathbf{F_c}$: 생명체가 통신 기술을 가지고 있을 확률

$\mathbf{L}$: 통신 기술을 가진 생명체가 이룬 문명이 유지 되는 기간

배커스의 방정식

$$G = n \times f \times w \times f_l \times f_a \times f_v \times f_b$$

G : 운명의 상대가 될 가능성이 있는 여성의 수

N : 영국의 인구수

F_w : 영국 여성의 비율

F_l : 런던에 사는 24~34세 여성

F_b : 앞의 모든 조건을 만족하는 여성이 매력적일 확률

결과는 무려 0.0000034%로 불가능이나 마찬가지였다. 대략 28만 5천 번을 나서야 한번 마주칠 수 있는 확률이었다. 이제 솔로들에게는 두 가지 옵션만이 남아있다. 이상형의 조건을 낮추어 확률을 올리거나, 이상형을 찾으러 더 부지런히 움직이는 것이다.

아무리 주변을 둘러봐도 처음부터 자신의 이상형을 만나는 사람은 보기 힘들다. 대부분 만나다 보니 나와 잘 맞고 괜찮은 사람이라고 느끼는 경우가 많다. 나만 해도 첫눈에 반했던 여자보다는 첫 느낌이 나쁘지 않은 정도의 여자와 더 오래 잘 만나는 경우가 많았다. 아무래도 처음부터 이상형이

라 생각되는 이성을 만나면 기대가 너무 커서 점점 실망하게 되는 탓이 아닐까. 너무 허황된 이상형만 쫓다가는 평생 혼자 살지도 모른다. 주변에 나쁘지 않다라고 생각했던 친구가 내 짝일지는 아무도 모르는 일이다.

이제 내 짝을 찾으러 더 부지런히 움직이는 일만 남았다. 그런데 사실 진짜 문제는 마음에 드는 이성을 찾았음에도 말을 걸 용기를 못 내는 것이다. 거절당했을 때의 민망함과 자괴감은 생각도 하기 싫다. 하지만 용기가 없으면 사랑도 얻지 못한다. 평생 동안 천 명이 넘는 여자와 사랑을 나누었다고 전해지는 희대의 사랑꾼 카사노바라는 이름을 들어봤을 것이다. 누군가 카사노바에게 수많은 여자들에게 사랑받는 비법을 물었더니 카사노바는 이렇게 대답했다. "거절당하는 것을 두려워하지 마! 백 명에게 고백하면 그중 한 명은 받아줄지도 모르니까!"

그래, 거절당한다고 죽지는 않을 것이다. 그럼 이제 고백하고 싶은 여자를 찾아봐야겠다.

자기가 하면 로맨스,
남이 하면 불륜

취업이 되어 신입사원 연수를 받고 있을 때 친구에게서 전화 한 통이 걸려왔다.

"너 그 소식 들었어? XX도 이번에 너네 회사 들어갔대!"

내 전 여자친구가 나와 같은 회사에 같은 기수 동기로 입사했다는 소식이었다. 왠지 심장이 쫄깃해지는 기분이었다. 나의 20대 절반을 함께 했던 아이였다. 우리는 대학교 1학년 때 처음 만나 졸업할 때까지 쭉 함께 했다. 그리고 마지막은 서로에게 깊은 상처를 남긴 것도 아니었지만 그렇다고 아름다운 이별도 아니었다. 헤어진 후 가끔 소식을 전해 듣기는 했지만 수년 동안 얼굴 볼 일은 없었다. 나는 연수를 받는 내내 혹시라도 마주칠까 신경이 쓰였다. 하지만 그 아이는 나와 다른 계열사로 연수 시기가 맞지 않아 결국 마주칠 일은 없었다.

2년이란 시간이 흘렀다. 그 아이와 같은 회사를 다니고 있다는 사실은 바쁜 업무에 잊혀져 갔다. 그러던 어느 날 그 아이와 우연히 연락이 닿게 되었다. 우리는 오랜만에 만나 식사를 하며 이야기를 나누었다. 거의 7년 만에 만났지만, 얼굴도 말투도 그때 그대로였다. 변한 것이 있다면 학생 때 만났던 우리가 이제는 30대의 직장인이 되었다는 것이다. 그 아이와 이야기를 나누면서 재미있었던 점은 서로 같은 시간을 공유했지만, 기억은 달랐다는 것이었다. 서로가 추억하는 부분도 달랐고, 서로가 기억하는 헤어진 이유도 달랐다. 그렇게 우리는 서로의 다른 추억들을 짜 맞추며 꽤 즐거운 시간을 보냈다. 이후에도 종종 안부를 묻고 식사도 함께하는 친구가 되었다.

사실 나는 이성 간에 친구는 존재하기 힘들다는 주의다.

그래서 주변에 이성 친구들이 별로 없다. 특히 여자친구가 있을 때에는 개인적으로 연락하는 이성이 거의 없다. 어떤 모임이나, 여러 명이 모이는 그룹 안에서 친하게 지내는 정도지 자주 연락하며 단둘이 만나 시간을 보내는 경우는 드물다. 남자와 여자 사이에 그렇게 가까울 수 있는 건 둘 중 하나에게라도 은근한 흑심과 가능성이 깔려있기 때문이라고 생각한다. 본인이 자각하지 못하는 마음속 깊은 곳에 말이다. 물론 이 생각에 동의하지 않는 사람들도 많을 것이다. 뭐 사람마다 견해는 다른 것이고 내 생각이 맞다는 이야기도 아니다. 그냥 나의 경우가 그렇다는 것이다.

남자와 여자 사이의 우정이 한순간에 애정으로 변하는 것을 종종 목격할 수 있다. 이런 경우 대부분 그놈의 술이 웬수지 라는 핑계를 대지만 어쩌면 평소에 미세하게나마 이성적인 호감이 깔려있었을지도 모른다. 그리고 술이 도화선이 되어 감정이 터져버린 것이 아닐까. 술을 마시면 심장이 뛰고 얼굴이 붉어진다. 이것은 좋아하는 사람과 함께 있을 때 나타나는 신체적 현상과 매우 비슷하다. 그래서 종종 뇌가 착각하는 경우가 생긴다. 술을 마실 때 옆에 있는 사람을 좋아한다고 말이다. 이런 이유로 소개팅에서 가벼운 술 한잔이 도움이 되기도 한다.

하루는 이 아이와 만나 차를 마셨다. 우리가 헤어진 이후 서로의 연애사에 대해 이야기를 나누었다. 그리고는 둘 다 솔로였기에 곧 좋은 사람이 나타날 거라며 서로에게 묘한 위로를 해주었다. 그러다 내가 "너나 나나 애인이 생기면 이렇게 얼굴도 못 보겠네."라고 말하자 그 아이는 "지금은 그냥 친구인데 애인 생겼다고 같이 밥도 못 먹나?"라고 말했다. 나는 다시 물었다. "만약 너에게 남자친구가 생겼는데, 그 사람이 오랫동안 만난 전 여자친구와 지금은 친구 사이라며 자주 연

락하고 둘이 만나 시간을 보낸다면, 넌 괜찮아?" 그러자 그 아이는 잠깐 생각에 잠기더니 씁쓸한 미소를 띠며 말했다. "그래, 우리 애인 생기면 안 보는 게 맞는 것 같다."

선을 넘어 바람을 피우지는 않는다고 하더라도 주변에 이성이 많은 사람들이 있다. 이런 사람과 연애를 하면 정말 피곤하다. 정말 옆에 있는 사람을 사랑한다면 그 사람에 대한 배려로 애매한 관계는 만나지 않는 게 맞는 것 같다. 자기가 그럴 땐 당당하다고 생각하지만, 막상 자신의 여자친구, 남자친구가 그러면 자기도 싫어한다. 자기가 하면 로맨스, 남이 하면 불륜. 너무 이기적인 심보 아닌가.

헤어진 다음날

알람 소리에 눈을 떴다. 손을 뻗어 휴대폰을 잡고 알람을 껐다. 오늘따라 더 무거운 눈꺼풀을 들어 올리며 메시지를 확인했다. 메시지는 오지 않았다. 나보다 출근 시간이 빠른 그녀는 항상 먼저 일어나 메시지로 아침인사를 보내왔었다. 오늘은 메시지가 안와 있길래 무슨 일이지 하며 몸을 일으켰다. 순간 어제 저녁에 있었던 일이 기억났다. '아, 어제 헤어졌지 참..' 2년 가까이 반복됐던 아침의 일상이 아주 조금 달라졌을 뿐이다.

칫솔을 꺼내 치약을 잁었다. 양치를 할 땐 항상 기울 속의 내 눈을 본다. 몇 분 동안 그렇게 내 눈을 바라보면서도 항상 이상하리만치 아무 생각도 하지 않는다. 오늘도 여느 때와 마찬가지로 멍하니 양치질을 끝냈다. 부랴부랴 옷을 챙겨입고 나와 엘리베이터 버튼을 누르고 습관적으로 휴대폰을 꺼냈다. 그리고 그녀와 나누었던 채팅창을 눌렀다. 순간 아차 싶었다. '아, 어제 헤어졌지 참' 나는 항상 출근길 엘리베이터를 기다리며 그녀에게 아침인사를 건넸었다. 습관은 정말 무서운 것이다.

금요일의 회사 분위기는 그 어느 때보다 열정적이다. 반드시 모든 일을 제시간에 끝마치고 꼭 칼퇴하겠다는 굳은 의지로 업무에 임한다. 점심시간이 되어 같은 팀 선배와 식사를 하러 나왔다. "오늘 불금이니 여자친구랑 데이트하겠네~"라는 선배의 말에 무덤덤하게 헤어졌다고 대답했다. 갑자기 분위기가 싸해졌다. 선배는 당황해하며 어쩌다 그랬냐는 둥 괜찮냐는 둥 횡설수설했다. 나는 괜찮다고 말했다. 그런데 정말 괜찮았다. 이상하게 아무렇지도 않았다. 사실 별생각 없었는데 생각해보니 좀 이상했다. 그래도 2년 가까이 그렇게 사랑하며 만났는데, 이렇게 괜찮아도 되는 건가?

센스 있는 우리 팀장님은 금요일이면 1분도 지체하지 않고 퇴근하신다. 다들 즐거운 주말 보내라며 신나게 인사를 나누고는 부리나케 사라졌다. 나도 주섬주섬 가방을 챙겨 회사를 나왔다. 아무 약속 없는 금요일 저녁이 참 오랜만이었다. 아니 그녀와 함께하지 않는 금요일 저녁이 참 오랜만이었다. 기분이 우울한 건 아니었지만 왠지 바로 집에 들어가기는 싫었다. 그래서 친구에게 전화를 걸었다. 친구는 금요일 저녁에 갑자기 전화해서 보자고 하면 누가 만나주겠냐며 꺼지라는 말과 함께 우려했던 대로 여자친구는 안만나냐고 물어왔다. 나는 무덤덤하게 헤어졌다고 말했다. 친구에게서 직장 선배와 똑같은 반응이 나왔다. 약속을 취소하고 온다기에 됐다고 했다. 나는 정말 괜찮았다.

편의점에 들러 맥주 몇 캔을 사서 집으로 왔다. 캔을 따고 한 모금 마시며 TV를 켰다. 오랜만에 가져보는 혼자만의 시간이었다. 평소 같았으면 지금쯤 그녀와 밥을 먹고 맥주 한

잔하며 오늘 회사에서 있었던 일로 수다를 떨었겠지. 그래도 이런 여유 있는 혼자만의 주말 저녁이 나쁘지 않았다. 엄청나게 즐겁지는 않았지만, 딱히 우울하지도 않았다.

맥주 네 캔을 비웠더니 조금 알딸딸해졌다. 문득 그녀는 무얼 하고 있을지 궁금했다. 그리고 지금 이렇게 괜찮은 내 상태가 조금은 미안해졌다. 예전에 다른 여자들과 헤어졌을 때도 이랬었나? 기억이 잘 나지 않았다. 행동이나 상황은 기억해도 그때의 감정은 잘 기억나지 않았다. 오래전에 느꼈던 감정은 단순히 즐거웠다, 슬펐다. 정도의 단어로만 기억날 뿐 정확한 감정은 잘 기억나지 않았다. 어렴풋한 기억으론 좋아했었던 여자와 헤어지면 꽤 힘들어했던 것 같은데, 지금은 왜 괜찮은 건지 모르겠다. 그만큼 사랑하지 않았나? 아니다. 정말 진심으로 사랑했다. 물론 시간이 지나면서 조금씩 무뎌지기는 했지만 정말 많이 사랑했었다. 뭐 어쨌든, 생각보다 힘들지 않으니 잘 된 것 아닌가.

며칠이 지났다. 나는 여전히 잘 지내고 있다. 문득문득 그녀 생각이 났지만 그게 날 아프게 하지는 않았다. 오늘은 야

근을 하고 꽤 늦은 시간에 집에 도착했다. 피곤한 몸에 따뜻한 물줄기를 맞으니 피로가 좀 풀리는 듯했다. 샤워를 마치고 맥주 한 캔을 따서 소파에 앉았다. 그때 휴대폰에서 메시지 알림 소리가 울렸다. 두근! 순식간에 심장이 요동치기 시작했다. 이 늦은 시간에 딱히 메시지가 올 곳이 없는데, 누구지? 혹시? 두근거리는 마음으로 휴대폰을 들어 메시지를 확인했다. 회사 단톡방이었다. 내일 PPT 자료가 어쩌고 저쩌고. 도대체 나는 뭘 기대했던 걸까? 이상하게 허탈하고 아쉬웠다. 나는 그녀의 연락을 기다리고 있었던 걸까? 아직 미련이 남았나? 아니다. 그럴 리 없다. 나는 정말 이별의 시간을 잘 보내고 있었다. 단톡방에 답장을 올리고 난 뒤 나는 나도 모르게 그녀의 프로필 사진을 보고 있었다. 상태메시지는 비어 있었고 함께 찍은 사진을 올려놨던 프로필 사진에는 풍경 사진이 올라와 있었다. 그리고 갑자기 궁금해졌다. 우리가 함께 찍은 사진으로 가득했던 그녀의 SNS는 어떻게 되어있을지. 잠깐 망설이다 결국 그녀의 SNS를 찾아 들어갔다.

헤어진 이후 아무런 게시물도 올라와 있지 않았다. 하지만 예전의 사진들은 전부 그대로였다. 나는 맥주를 마시며 찬찬히 사진을 살펴봤다. 우리가 나온 사진보다 음식 사진이 더 많았다. 아무리 배가 고파도 음식이 나오면 만족할 만한 사진이 나올 때까지 손을 델 수 없었다. 한번은 갑자기 바다가 보고 싶다고 해서 아무런 계획도 없이 속초로 떠난 적이 있다.. 그때 모래사장에서 폭죽을 터뜨리며 찍었던 사진이 참 예쁘게 나왔다. 처음으로 놀이공원에 간 날, 바이킹 맨 끝자리에 앉아 꼭대기에서 셀카를 찍는 여유를 부리는 그녀를 보고 존경심마저 들었었다. 환하게 웃고 있는 그녀 옆의 나는 거의 울기 직전이었다. 쌩얼이라며 올린 사진에 내가 거짓말

이라고 폭로한 댓글도 보였다. 그녀는 화장기 없이 아침에 막 일어났을 때가 가장 예뻤다. 반쯤 감긴 눈으로 잘 잤어? 라고 말하는 그녀가 얼마나 사랑스러웠는지 모른다.

나도 모르게 몇 시간 동안 추억을 곱씹고 있었다. 그녀의 SNS에는 우리가 사랑했던 모든 시간들이 담겨 있었다. 어느새 나는 울고 있었다. 그리고 우리의 추억은 눈물에 가려져 더 이상 보이지 않았다. 가슴이 너무 아려왔다. 그녀에게 너무 미안했고 너무 보고 싶었다.

하지만 우리는 돌이킬 수 없다는 걸 너무 잘 알고 있었다. 이번엔 정말 끝이었다. 그녀를 찾아가 다시 시작한다 해도 서로의 상처만 더 깊어질 뿐이었다. 이번에는 정말 끝내는 게 맞았다. 그래서 괜찮은 줄 알았다. 이별을 잘 버텨내고 있다고 생각했었다. 칼에 베이면 그 순간은 아프지 않지만 몇 초가 지나면 엄청난 통증이 밀려오는 것처럼 그녀와의 이별도 그랬나 보다. 엄청난 통증이 밀려오기 전에 잠깐 괜찮았었나 보다. 한 번에 밀려온 통증에 숨을 쉬기도 힘들었다. 쏟아지는 눈물을 멈출 방법이 없었다. 마지막으로 한 번만 더 보고 싶었다. 그리고 미안했다고, 다 내가 잘못했다고, 그러니까 너는 아파하지 말라고 말하며 안아주고 싶었다. 아니, 다시 붙잡고 싶었다. 그날 이별은 우리가 사랑했던 것에 비해 너무 무미건조한 이별이었다. 우리는 눈물 한 방울 없이 이별했다. 우리가 함께했던 시간에게 미안할 정도로 무덤덤한 이별이었다. 그 담담했던 이별이 지금 내 가슴을 이렇게까지 아프게 할 줄은 몰랐다.

나는 그렇게 울다 지쳐 잠이 들었다.

아픔에 관한 이야기

힘들 때면 세상을 욕해보기도 하고 사회를 탓해보기도 한다. 그러다 잔인하게도 결국 다 내 잘못이고 내가 부족하다는 생각을 하게 된다. 내가 좀 더 잘나지 못한 탓이고 더 노력하지 않은 탓이라며 자책하게 된다. 어디서부터 잘못된 걸까?

나한테는 세상이 무너진 거야

사탕을 빼앗긴 아이는 세상 전부를 빼앗긴 거야

친구들에게 따돌림당한 학생은 온 세상이 등돌린 거야

수능을 망친 고3 학생은 세상을 다 망친 거야

면접에 떨어진 청년은 온 세상이 무너진 거야

회사에서 쫓겨난 가장은 세상 밖으로 밀려난 거야

사랑하는 사람을 떠나보낸 이는 세상을 다 잃은 거야

당신한테는 별거 아닐지 몰라도

내가 아픈 게 세상에서 가장 아픈 거야

나보다 힘든 사람 많으니 참고 견디라고 쉽게 말하지마

나한테는 세상이 무너진 거니까

어느 왕따 학생이
그린 그림

작은 체구에 선천적으로 몸이 약한 소년이 있었다. 게다가 공부까지 못했던 소년은 학교에서 매일 따돌림과 괴롭힘을 당하는 왕따 생활을 견뎌야 했다. 운동도 공부도 어느 것 하나 잘하는 게 없었던 소년은 하루가 멀다 하고 두드려 맞고 놀림을 당했다. 그리고 매일 혼자 쓸쓸히 울며 집으로 향했다. 하지만 세상 어느 누구도 이 소년을 감싸주거나 위로해주지 않았다. 그런 소년이 유일하게 기댈 수 있었던 것은 오직 만화뿐이었다. 항상 구석에 홀로 앉아 만화책을 보며 외로움을 달랬고, 작은 네모 칸 안에 그림을 그렸다. 이 네모 칸 안에서는 아무도 소년을 괴롭히지 않았다.

시간이 흘러 소년은 어른이 되었다. 만화가가 되고 싶었지만, 어느 곳에서도 그의 만화를 받아주지 않았다. 어른이 된 후에도 여전히 그의 마음속에는 상처 입은 왕따 소년이 자리 잡아 '난 역시 아무것도 할 수 없는 놈이야'라며 스스로를 괴롭혔다. 그는 마음속 왕따 소년이 원망스러웠지만, 한편으론 외로운 그 소년이 너무나도 불쌍했다. 그는 펜을 들어 네모 칸 안에 어린 시절의 못난 자신을 그려 넣었고, 그 옆에 항상 소년을 응원해주는 친구를 그려주었다. 잘하는 게 하나도 없고 매일 친구들에게 괴롭힘당하는 진구와 그런 진구를 항상 위로해주고 도와주는 로봇 고양이 도라에몽은 그렇게 세상에 나오게 되었다.

도라에몽의 작가 후지코.F.후지오는 "노진구는 나 자신이었고, 나는 도라에몽을 통해 그 소년을 안아주고 싶었다."라고 말한다. 그는 만화가를 꿈꾸면서도 어린 시절 트라우마에 시달렸기 때문에 좋은 작품을 그릴 수 없었다고 한다. 그러다 자신의 마음속에서 깊은 상처를 안고 있는 어린 소년을 발견했고, 소년이 평생 갖지 못했던 친구를 선물해 주었다.

도라에몽은 진구의 못난 모습을 옆에서 지켜보면서도 절대 비난하지 않는다. “아무리 공부를 못한다고 하더라도, 아무리 힘이 약하다 하더라도, 어딘가에 너의 보석이 있을 거야” 라며, 그저 묵묵히 도와주고 위로해주고 응원해준다.

1996년 9월 20일, 후지코.F.후지오 작가는 그의 작업실에서 도라에몽 장편 시리즈 ‘진구의 태엽 도시 모험기’ 62페이지를 그리고 있었다. 그리고 저녁 식사준비가 다 되어 딸이 부르러 갔을 때, 그는 책상에 앉아 펜을 손에 쥔 채 의식을 잃은 상태였다. 급히 병원으로 옮겨졌지만, 사흘 후인 9월 23일, 후지코.F.후지오는 62세의 나이로 우리 곁을 떠났다.

왕따를 당하던 소년이 어른이 되었고, 여전히 마음속에 남아있던 상처 입은 소년을 위로해주기 위해 스스로에게 선물해 준 친구 도라에몽이 이제는 전 세계 수많은 사람들의 마음을 위로해주고 있다.

> “미래는 순간순간 달라지니까 먼저 고민하는 것보다 지금을 열심히 살면 분명 좋은 일이 있을 거야!”
> –「도라에몽」 중에서

이대로 계속 달리면
분명 넘어질 것 같은데

가끔 내가 걷고 있는 이 길이 맞는지도 모르겠고 아무리 열심히 나아가도 계속 제자리인 것 같을 때가 있다. 이렇게 지치고 힘들 때면 누군가 툭 던지는 힘내라는 말조차 외롭게 느껴진다. 사는 게 너무 힘들어 삶을 포기하고 싶어질 때, 사람들은 "죽을 용기면 뭘 해도 잘하겠다."라고 이야기 한다. 하지만 죽을 용기를 내는 것보다 이 거지 같은 세상을 계속 살아갈 용기를 내는 게 더 힘들 때가 있다. "우리 때는 더 힘들었어. 행복한 줄 알아!" "너보다 힘들고 어려운 환경 속에서도 꿋꿋이 사는 사람들이 얼마나 많은데, 더 강해져 봐!" 위로랍시고 충고랍시고 이런 말들을 한다. 하지만 힘들고 아픈 걸 상대적으로 평가할 수는 없다. 내가 아픈 게 가장 아픈 거다.

힘들 때면 세상을 욕해보기도 하고 사회를 탓해보기도 한다. 그러다 잔인하게도 결국 다 내 잘못이고 내가 부족하다는 생각을 하게 된다. 내가 좀 더 잘나지 못한 탓이고 더 노력하지 않은 탓이라며 자책하게 된다. 어디서부터 잘못된 걸까?

학교 다닐 때는 그냥 시키는 대로 눈 뜨고 다시 잠들 때까지 나중에 어디다 써먹을 수나 있을까 싶은 교과서만 달달 외운다. 좋은 대학에 들어가면 이 고통이 끝날 거라고 스스로를 위로하며 하루하루를 버틴다. 그렇게 어쩌다 어른이 되어버리고 사회에 나오면 공장에서 찍어낸 인형처럼 머릿속에 똑같은 것만 집어넣어 스스로 생각할 줄 모르는 몸집만 커진 어른이들로 가득하다. 학교에서도 사회에서도 나를 숫자로만 평가하고 진짜 나를 온전히 나로 알아봐 주는 곳은 어디에도 없다. 우리는 태어나 죽을 때까지 남들과 비교당하고 경쟁하며 끊임없이 달린다. 잠깐 서서 쉬고 싶은데 그럴 때면 어김없이 어디선가 채찍이 날아든다. "주위를 둘러봐 다들 저렇게 열심히 뛰는데, 너 혼자 쉬면 그대로 뒤처지는 거야!" 나는 이대로 계속해서 억지로 달리면 분명 넘어질 것 같은데, 나만 빼고 다들 잘 달리는 것 같다.

이렇게 실컷 투덜거리고 나면 마음이 조금 편안해진다. 그리고 귀를 기울여 보면 나처럼 투덜거리는 사람이 한둘이 아니라는 걸 알게 된다. 남들이 투덜대는 소리를 들어보면 나랑 별반 다를 게 없다. 그럼 혹시 이렇게 조급해하지 않아도 되는 거 아닐까. 분명 저 앞에서 탄탄대로를 신나게 달리는 사람도 있겠지만 내 옆에, 내 뒤에 지쳐서 쉬고 있는 사람들이 훨씬 많다. 내가 잠깐 서서 쉬는 동안 누가 나를 앞질러 간다고 불안할 것도 없다. 그 사람도 분명 언젠가 지쳐 쉬어 갈 테니까.

인디언들은 광활한 평야를 달리다가도 잠시 말을 멈추고 뒤를 되돌아본다고 한다. 혹시라도 자신의 영혼이 따라오지 못했을까 잠시 멈춰 서서 기다리는 것이다. 목표점에 도착했을 때 영혼 없이 껍데기만 도착했다면 아무 소용 없다. 가고자 하는 곳에 얼마나 빨리 도착하는지가 중요한 게 아니라

가는 길이 얼마나 행복한지가 중요한 것이다. 그리니까 나 좀 잠깐 쉴 테니 보채지 않았으면 좋겠다.

세계에서 오직
한국인만 걸리는 병

전 세계에서 오직 한국인만 걸리는 병이 있다. 이 병에 걸리면 불면증, 만성피로, 공황증세, 우울증, 소화 불량, 식욕 저하, 호흡곤란, 가슴 및 명치 부위 통증 등의 증상들이 나타난다. 이 병의 환자는 거의 걸어 다니는 종합병원 수준이다. 미국정신의학회에서 편찬한 DSM **Diagnostic and Statistical Manual of Mental Disorders: 정신장애에 대한 진단 및 통계 편람)-IV**에 등재되어 있는 이 병의 이름은 바로 '**화병**'이다. 심지어 영어로 번역되어 있지도 않고 한국어 발음 그대로 '**Hwa-Byung**'이라고 등재되어 있다. 이렇게 특정 국가에서만 발생하는 질환을 문화 관련 증후군**culture-bound syndrome**이라고 한다. 그 나라의 문화적 특성 때문에 발생하는 병을 일컫는 것이다. 그렇다면 도대체 우리나라의 어떤 문화가 우리를 아프게 하는 것일까.

화병은 억울함이나 분노와 같은 감정을 밖으로 표출하지 못하고 오랜 기간 혼자 속으로만 삭히다가 생기는 병으로 정신적인 문제뿐만 아니라 신체적으로도 증상이 나타나며 고치기도 힘든 병이다. 옛말에 '참을 인'자 "세 번이면 살인도 면한다"라는 말이 있다. 살인은 면했을지 몰라도 어쩌면 나 스스로를 죽이고 있었던 게 아닐까. 참는 것을 미덕으로 삼는 문화는 우리 자신을 좀먹고 있었는지도 모른다.

유교 사상이 뿌리 깊은 우리나라는 학교에서든 직장에서든 사회 어느 곳에서나 위아래를 뚜렷하게 구분 짓는다. 세계 어느 나라를 가도 처음 만난 사람에게 제일 먼저 나이를 물어보고 서열부터 정리하는 나라는 우리밖에 없을 것이다. 장유유서長幼有序, 어른과 아이 즉 상하의 질서가 바로 서야 한다는 의미로 윗사람을 공경하라는 뜻이 아닌가. 그런데 왜 언제부터 장유유서의 의미가 아랫사람에게는 막 해도 된다는 뜻이 되었는지 모르겠다.

학교에서는 선배가 후배를 괴롭히고 직장에서는 상사가 부하직원을 억압한다. 심지어 가정에서도 자식을 하나의 인격체가 아닌 자신의 꼭두각시쯤으로 생각하는 부모도 많다. 또 명절 증후군이라는 말이 생겨날 정도로 힘들어하는 며느리들은 어떠한가. 하지만 우리는 그냥 참는다. 조금이라도 싫은 소리를 하면 버릇없고 개념 없는 사람으로 낙인찍혀 튀어나온 못에 망치질하듯 찍어 누른다. 그래서 우리는 아무리 화가 나도 꾹 참고 넘어갔다가 집에 돌아와 자기 전에 그 상황을 곱씹으며 사이다를 날리는 상상을 한다. 그리고 아주 약간 풀리는 기분에 만족하며 잠이 든다.

사회적으로 힘과 영향력이 있는 사람이 다수의 의견에 반대할 경우 소신과 철학이 있다며 멋진 사람으로 바라보지만, 우리처럼 평범한 사람이 다른 의견을 내놓으면 사회 부적응자 취급을 받는다. 그러다 보니 우리는 참고 또 참는다. 속에서는 불이 나지만 삭히고 또 삭힌다. 그리고 시간이 흘러 우리가 선배가 되고, 직장 상사가 되고, 부모가 되면 상할 대로 상한 마음에 나도 모르게 보상심리가 생겨난다. 결국 내 후

배, 부하직원, 자식들이 자기 생각을 다 표현하면 버릇없고 개념 없다며 혼을 내는 나 자신을 보게 된다. 이런 악순환이 또 있을까.

화병의 대표적 증상은 우울증이다. 하고 싶은 말을 꺼내지 못하고 화가 나도 참으면서 생겨난 가슴 속의 뜨거운 불덩이는 우리를 어둠으로 끌고 간다. 현재 우리나라는 어린아이부터 노인까지 우울증이 팽배해 있다. 그리고 이 우울증이 매일 36명의 목숨을 스스로 포기하게 만든다. 그렇다고 하루아침에 하고 싶은 말을 다 하고 화가 난다고 무조건 표출하는 사람으로 바뀔 수는 없다. 더불어 사는 세상이기에 내 감정을 다 표출해 상대에게 상처 주는 것도 바람직하지는 않을 것이다.

나도 정말 거절을 못 하는 성격이다. 싫은 소리 하는 것도 너무 힘들다. 하지만 만만해 보이는 건 더욱더 싫다. 그래서 나는 나만의 소심한 요령을 만들었다. 누구든 눈앞에서 당치도 않는 말로 화가 나게 할 때에는 웃는다. 여기서 포인트는 입만 웃는 것이다. 그리고 눈은 화가 났음을 분명하게 보여준다. 레이저가 나갈 듯이 눈에 힘을 주고 입만 웃는다. 화를 내며 소리치지 않고 눈빛으로만 화가 났음을 보여주는 것이다. 그리고 그 자리를 피하거나, 도가 지나친 경우에는 이 표정을 유지한 채 조용조용하게 좋은 말로 당신의 말이 틀렸을지도 모른다는 것을 인지시켜 준다. 이 방법을 오랫동안 써왔는데 효과가 나쁘지 않았다. 상대가 나를 만만하게 보지도 않았고 서로 기분이 상해 싸우는 일도 거의 없었다. 아랫사람이라고 막 대하는 사람 치고 실제로 강한 사람 못 봤다. 대부분 이 정도면 충분히 먹혀들었던 것 같다.

평생 참고만 살다가는 제명에 못 죽는다. 그렇다고 세상에 화날 일이 얼마나 많은데 일일이 화내고 할 말 다 하다가는 그것도 뒷목잡고 쓰러질 판이다. 내가 했던 것처럼 자신만의 노하우를 만들어 일을 크게 벌이지 않고 화났음을 적당히 표현할 수 있는 방법을 찾아보면 어떨까.

개그맨 박명수의 주옥같은 사이다 명언이 떠오른다.

"'참을 인'자 셋이면 호구 된다!"

기억 지우개

살면서 잊고 싶은 기억이 몇 개 있다. 너무 아팠던 경험은 깊은 상처로 남아 긴 시간이 지나도 여전히 나를 괴롭힌다. 사실 이번 에피소드의 시작으로 나에게 트라우마를 안겨준 진짜 경험을 쓰려 했다. 하지만 몇 번이고 썼다 지웠다를 반복하다가 결국 지워버렸다. 많은 사람에게 말하는 것도 두려웠고 용기를 내어 책에 실어도 나중에 후회할 것만 같았다. 나에게 잊고 싶은 기억이 내 가슴 속 말고도 어딘가에 글로 남겨진다는 게 싫었다. 그 정도로 잊고 싶은 기억을 글로 다시 꺼내려니 마음이 아려왔다. 이렇게 큰 상처를 남기고 평생의 트라우마를 안겨준 기억이 누구나 한두 가지는 있지 않을까. 할 수만 있다면 당장 지워버리고 싶다.

예전에 내 유튜브 채널에 힘들 때 위로가 될 수 있을 만한 글을 몇 자 적어 올린 적이 있다. 사실 사람들을 위로해주기보다는 나 자신을 위로하기 위한 글이었을 것이다. 그런데 영상을 본 사람들이 하나둘 자신의 힘든 이야기를 꺼내기 시작했다. 댓글들을 보면서 정말 오랜만에 펑펑 울었던 기억이 난다. 겨우 이 정도 글에 위로받을 정도로 나처럼 힘든 사람들이 참 많구나 하는 생각에 마음이 아파왔다. 이제는 5천 개에 가까운 댓글이 달렸고 지금도 종종 영상에 들어가 새로운 댓글을 읽어 본다. 학교에서 따돌림당하는 학생들, 몇 년째 취업 준비만 하다 전부 포기하려는 청년들, 여자친구가 바람을 펴 더 이상 여자를 못 믿게 되었다는 남자, 뚱뚱하다고 무시당하는 여자. 사람들은 익명의 힘을 빌려 자신의 아픈 이야기들을 꺼내놓았다. 이 고통의 기억들을 다 지워버릴 수 있다면 얼마나 좋을까.

사실 많은 과학자들이 기억 지우개를 개발하고 있다. 2014년, 미국 하버드 의대의 연구결과에 따르면 무색무취의 불연성 기체인 제논 가스가 우리 뇌에서 공포의 기억과 관련

된 특정 단백질 수용체를 차단해 나쁜 기억을 없애줄 수 있다고 한다. 트라우마가 되어버린 기억을 떠올리는 순간 제논 가스에 노출되면 뇌가 해당 기억을 완전히 차단하고 새로운 기억을 만들도록 유도한다는 것이다. 아직까지는 실험쥐를 대상으로 성공한 것이라 인간에게도 적용하려면 시간이 더 필요하겠지만 기억 지우개를 만들어 낼 가능성을 찾은 것이다.

이렇게 과학자들이 보다 완벽하고 안전한 기억 지우개를 찾는 동안에도 수많은 사람들이 나쁜 기억과 트라우마에 시달리고 있다. 영국 브리티시 컬럼비아 대학 연구진에 따르면 어린 시절 학대나 따돌림 등의 경험으로 트라우마가 생긴 사람일수록 노화가 빠르게 진행되고 수명이 짧아진다고 한다. 역시 마음이 건강하지 못하면 몸도 건강할 수 없나 보다.

2005년에 개봉한 짐 캐리, 케이트 윈슬렛 주연의 영화 '이터널 선샤인'이 떠오른다. 한 남자와 여자가 우연히 만나 뜨거운 사랑을 시작하게 된다. 하지만 시간이 지나자 이 커플에게도 권태기가 찾아오고 서로에게 상처 주는 말을 되풀이하다 결국 끝을 맞게 된다. 헤어진 뒤에야 여자의 소중함을 느낀 남자는 선물을 준비해 여자를 찾아간다. 그런데 여자는 마치 남자를 전혀 모르는 사람처럼 대하고, 남자 앞에서 아무렇지도 않게 새로운 남자친구와 입을 맞춘다. 뭔가 이상하다고 느낀 남자는 곧 충격적인 사실을 알게 된다. 여자는 남자와 헤어진 후 그 고통을 이겨내지 못하고 남자와 관련된 모든 기억을 지우는 시술을 받았던 것이다. 자신이 일방적으로 잊혀졌다는 사실에 화가 난 남자는 자기도 기억을 지우기 위해 병원을 찾아간다. 하지만 남자가 시술을 받는 동안 그의 무의식은 여자와의 기억을 지키기 위해 끝까지 싸운다. 사실은 그녀를 잊고 싶지 않았던 것이다.

이 영화처럼 기억 지우개가 상용화된다면 사람들은 자신의 기억을 지우려고 할까? 나는 잊고 싶은 기억을 지워버리는 선택을 할 수 있을까? 그렇게 잊고 싶었던 기억이지만 막상 지운다고 생각하니 왠지 모르게 조금 망설여지는 것 같기도 하다. 그리고 이런 생각도 든다. 내가 누군가에게 받은 상처로 힘들어하듯, 혹시 내 말과 행동이 누군가에게 평생 괴로워할 트라우마를 안겨준 적은 없었는지. 때린 사람은 잊어도 맞은 사람은 기억할 테니까.

시간을 되돌리는 소녀

2010년 1월 5일, 경주에서 한 여고생이 실종되었다. 실종된 은비는 보육시설인 성애원 출신으로 경주여고 2학년에 재학 중이었다. 기숙사 생활을 하다가 잠시 보육원에 다녀온다며 나갔고, 이후 자취를 감추었다. 보육원에서도 학교에서도 모범적으로 지내왔던 은비가 사라지자 모두의 걱정은 커져만 갔다. 경주 경찰서에서는 은비가 탔을 만한 버스의 CCTV를 조사하고 전단지를 배포하며 실종 뉴스를 내보내는 등 은비를 찾기 위해 총력을 기울였다. 그렇게 한 달이 지났고, 갑작스럽게 은비가 가족들과 함께 있다는 연락이 왔다. 이후 은비가 경찰서에 나와 진행한 진상조사 결과는 가히 충격적이었다. 모두가 김은비라고 알고 있던 이 소녀의 본명은 이씨성의 다른 이름이었고, 열여덟 살이 아니라 스물 한 살이었다. 놀랍게도 수 년 동안 주변 사람들이 알고 있던 김은비는 이모 양이 만들어낸 가상의 인물이었던 것이다.

사건의 발단은 이랬다. 2006년, 당시 고등학교 3학년이었던 이모 양은 용인에서 가족들과 함께 살고 있었다. 그러던 어느 날, 이모 양은 갑자기 가출을 해버렸다. 그리고는 경주에 있는 보육원인 성애원을 찾아갔다. 이때 이모 양의 손에는 한 통의 편지가 들려있었다. '이 아이의 이름은 은비입니다. 불쌍한 이 아이를 저 대신 키워주세요'라고 적혀있었다. 이 편지는 이모 양의 엄마가 아닌 본인이 가짜로 쓴 편지였다. 보육원에서 지내기 위해 자신을 학교도 제대로 다닌 적 없는 노숙자라고 속였던 것이다. 그리고 89년생인 자신의 나이도 열여덟 살에서 열다섯 살로 낮추고 92년생 김은비로 새로운 호적까지 취득하게 되었다. 그렇게 열여덟 살의 이모 양은 열다섯 살의 김은비로 인생을 리셋했다.

그녀는 보육원에 들어간 지 1년 만에 초등, 중등 검정고시를 통과했다. 인생을 리셋하기 전 고등학교 3학년까지 다녔던 그녀에게는 어려운 일이 아니었다. 하지만 노숙자 생활을 하며 학교도 다니지 못해 알파벳조차 읽지 못하는 척 연기해왔기 때문에 그녀는 천재 소녀라 불리며 2008년에는 지역 명문인 경주여고에 진학하게 되었다. 학교에서는 전교 석차 상위권을 유지하며 의대 진학을 꿈꾸는 모범생 생활을 이어나갔다. 그러다 2010년, 그녀는 돌연 김은비의 삶을 그만두고 다시 원래의 삶으로 돌아가 버렸다.

여기서 눈여겨 볼 점은 두 번의 가출로 인생을 리셋했던 시기이다. 용인에서 첫 번째로 가출했을 때 이모 양은 막 고3이 되었다. 그리고 경주에서 두 번째로 가출했을 때에도 고3이 되기 직전인 2월이었다. 이모 양은 성적 부담이 커지는 고3을 앞두고 두 번이나 자신의 시간을 되돌린 것이다. 첫 번째 가출 전 당시 이모 양의 담임 선생님도 이모 양이 가출하기 직전에 치른 모의고사에서 생각보다 성적이 잘 나오지 않아 힘들어했다고 한다.

이 사건은 범죄와는 관련성이 없다는 이유로 처벌 없이 수사가 마무리되었다. 하지만 가출한 이모 양의 부모님과 3명의 동생들은 경찰서에 실종 신고를 한 뒤 무려 4년 동안이나 애타게 그녀를 기다렸다. 4년 뒤 경주에서 가짜 김은비의 삶을 그만두고 떠났을 때에도 그녀를 아끼고 돌봐주었던 성애원 식구들과 학교 친구들은 얼마나 큰 상처를 받았을까.

누구나 살면서 한 번쯤은 버거운 현실에서 도망쳐 인생을 처음부터 다시 살고 싶다는 생각을 한다. 비록 은비처럼 진짜로 시간을 되돌리지는 못하지만, 지나온 인생을 돌이켜 보면 그때 내가 왜 그랬을까 하며 후회되는 일이 한두 가지가 아니다. 그리고 만족스럽지 못한 지금의 내 모습을 보고 있자면 이번 생은 틀렸다며 다 포기하고 싶어지기도 한다. 하지만 행복의 열쇠는 과거가 아닌 바로 오늘에 있지 않을까. 오늘 하루가 쌓여 1년이 되고 10년이 된다. 아무리 지난 시간이 후회스럽더라도 오늘 하루를 잘 살아내면 10년 뒤 오늘을 돌이켜 봤을 때 제법 잘살고 있다는 생각이 들지도 모르겠다.

손목을 그은 이유

나는 해병대 장교로 직업 군인 생활을 했었다. 힘든 군 생활을 택했던 것에 대단한 이유는 없었다. 단지 기왕 할 거 제대로 멋있게 해보자는 젊은 시절의 패기였다. 그리고 입소한 지 30분 만에 후회했다. 내가 과연 이 훈련을 버텨낼 수 있을지 앞이 막막했다. 하지만 지금의 나에게 그때의 경험은 무엇과도 바꿀 수 없는 값진 자산이 되었다.

열심히 군 생활을 하던 중 중대장으로 발령이 났다. 전역하기 전에 꼭 지휘관 직책을 수행해 보고 싶었던 나는 기쁜 마음으로 중대장직을 맡았다. 취임식을 마치고 며칠 뒤, 중대에 신병이 한 명 들어왔다. 신병 면담을 하다 보면 살짝 느낌이 온다. 이 녀석이 군 생활을 잘 할지 못 할지를 말이다. 중대장으로서는 첫 신병이었기에 신경 써서 면담을 진행했다. 느낌이 그렇게 좋은 편은 아니었지만 힘든 훈련을 막 마치고 실무 배치를 받아서 긴장한 탓이라 여기고 넘어갔다.

일주일 정도 지났을 때쯤, 오후 일과를 마치고 중대원들을 인솔해 구보를 뛰고 돌아왔다. 부대 정문을 통과하고 있는데 상황병이 중대장님을 외치며 급하게 달려왔다. 무슨 일이냐고 묻자 놀란 얼굴로 대답했다. "XXX 이병이 손목을 그었습니다!" 심장이 덜컥 내려앉았다. 일주일 전에 들어온 신병이었다. 나는 뒤도 안돌아보고 의무실로 달려갔다. 신병은 손목에 붕대를 감은 채 침대에 잠들어 있었다. 놀란 나를 본 의무관이 진정하라는 말과 함께 커피를 타왔다. 다행히 상처가 깊지 않아 병원으로 옮기지 않아도 된다고 했다. 그리고 조심스럽게 말을 이었다. "상처가 아주 얕습니다. 진짜로 죽을 생각은 아니었던 것 같습니다.."

신병이 깨어나길 기다렸다. 눈을 뜨고 나를 보자 벌떡 일어나 경례를 했다. 나는 신병에게 하고 싶은 이야기를 해보라고 했다. 녀석은 이야기를 꺼내기도 전에 눈물부터 보였다. 그리고는 천천히 이야기를 꺼내기 시작했다. 부대에 오고 며칠 뒤 대대장 면담이 끝난 날부터 선임들의 군기 잡기가 시작되었다고 한다. 뭔가를 잘못해서 맞거나 욕먹었던 것도 아니다. 그냥 잘못된 관습이었다. 며칠 동안 그런 생활이 계속되자 너무 무서웠고, 전역할 날은 보이지도 않아 아무런 희망도 없다고 느껴진 것이다. 도저히 버틸 자신이 없었다고 한다.

신병이 정말로 손목을 그었던 이유는 본인 말고는 아무도 모른다. 나 정말 너무 힘드니 도와달라는 SOS 신호였는지, 아니면 진짜 죽으려고 했지만 자신도 모르게 순간 죽음에 대한 공포가 밀려와 칼을 쥔 손에 힘이 빠졌던 것인지는 알 수 없다. 하지만 확실한 것은 신병에게는 도저히 이곳에서 버텨낼 희망이 보이지 않았던 것이다.

나도 지금까지 살면서 죽고 싶다는 생각을 해본 적이 있다. 진짜로 죽어야겠다 까지는 아니었지만 그냥 이대로 다 포기하고 세상에서 사라지면 편안해지겠지 라는 생각은 여러 번 해본 것 같다. 사람은 너무 힘들어 삶을 포기하겠다는 결정을 하기까지 수많은 내적 갈등에 부딪힌다. 그러면서 자신도 모르는 사이 주변에 도와달라는 신호를 보낸다. 다행히 누군가 이를 알아채고 진심을 다해 손을 내밀면 다시 삶을 살아갈 용기가 생긴다. 하지만 아무도 신호를 알아채지 못한다면 마음속 어둠은 점점 내 전부를 갉아먹고 돌이킬 수 없는 길로 들어서게 된다.

아무리 사는 게 힘들다 한들 세상에 정말로 죽고 싶은 사람이 어디 있겠는가. 죽고 싶은 사람도, 이미 스스로 삶을 놓아버린 사람도 어쩌면 죽고 싶었던 게 아니라, 조금만 아주 조금만 지금보다 '행복하게 살고' 싶었던 게 아닐까.

사랑해서 그랬다

1973년, 스웨덴의 수도 스톡홀름에 위치한 한 은행에 무장 강도가 침입했다. 강도는 막 감옥에서 나온 에릭 올손이라는 전과자였다. 그는 은행 안에 있던 네 명을 인질로 붙잡고 경찰과 총격전을 벌이며 대치했다. 올손은 경찰에게 친구인 클라크 올로프슨을 데려올 것을 요구하여 동료까지 불러들였다. 그리고 현금 300만 크로나, 총 두 자루와 방탄조끼, 헬멧, 도주용 차량도 요구했다. 경찰은 인질을 석방시켜줄 것을 요구했지만 그들은 들어주지 않았다. 그렇게 팽팽한 대치가 6일 동안이나 이어졌고, 인질들은 극한의 상황 속에서 엄청난 공포를 견뎌야만 했다.

6일째 되던 날, 결국 무장강도들은 경찰에 진압되었다. 그런데 이상한 일이 벌어졌다. 인질들이 재판장에서 하나같이 강도들에게 유리한 증언만 하고, 오히려 경찰이 지나치게 강경한 진압을 했다며 무장강도들의 편을 드는 것이었다. 결국 올손은 감형을 받아 10년 형을 선고받고 뒤늦게 합류한 올로프손은 강도짓에 가담하지 않았으며 합류한 뒤에도 인질들의 안전을 위해 노력했다는 그들의 증언이 인정되어 형을 면하게 되었다. 이 사건 이후 심리학자 닐스 베예로트는 이 이상한 심리 현상에 '스톡홀름 증후군'이라 이름 붙이고 연구하기 시작했다.

이듬해인 1974년, 미국의 언론재벌인 허스트가의 상속녀 패티 허스트가 급진좌파 공생해방군이라 불리는 테러집단에 납치되는 사건이 벌어졌다. 이 사건으로 미국 전역이 발칵 뒤집혔다. 그로부터 두 달 뒤, 샌프란시스코의 한 은행이 습격을 당했는데, 놀랍게도 CCTV 속 테러범들 사이에 패티 허스트의 모습이 발견되었다. 그런데 CCTV 속 그녀의 모습은 전투복 차림에 총을 들고 자발적으로 테러범들을 돕고 있었다. 그녀의 모습에 미국 사회는 큰 충격에 빠져버렸다. 그리고 1년 뒤, 숨어지내던 패티 허스트는 FBI에 의해 체포되었다. 그녀의 변호인단은 그녀가 납치된 이후 스톡홀름 증후군을 겪어 범죄에 참여한 것이라고 주장했다. 그리고 이 사건은 전 세계가 이 낯선 심리 현상에 주목하게 되는 계기가 되었다.

'스톡홀름 증후군'은 피해자가 극도의 공포심을 느끼고 오히려 가해자에 대해 긍정적인 감정을 가지게 되는 비합리적인 심리 현상을 말한다. FBI의 조사에 따르면 인질 사건의 피해자들 중 약 8%가 이러한 현상을 보인다고 한다. 심리학자들은 그 원인을 생존본능 때문이라고 말한다. 극한 상황에 놓인 피해자가 가해자의 아주 사소한 친절을 유일한 생존방법으로 인식하고 의지하게 된다는 것이다.

우리에게 익숙한 '미녀와 야수'의 주인공 '벨'을 두고도 일각에서는 스톡홀름 증후군이라는 의견이 나온다. 야수에게 감금되어 갇혀 지내던 벨이 점점 야수를 동정하고 사랑하게 되는 이야기의 전개는 충분히 그런 생각이 들게 한다. 실제로 미녀와 야수 실사화 영화에서 벨을 연기한 엠마 왓슨도 인터뷰를 통해 "벨이 스톡홀름 증후군을 겪은 게 아닐까?" 하며 감정연기에 대해 많은 고민을 했다고 한다.

그런데 스톡홀름 증후군은 강도나 테러범에 의한 인질 사건뿐만 아니라 우리 사회 속 가정폭력 또는 데이트폭력 피해자들에게서도 자주 나타난다. 가까운 가족이나 연인 사이에서 폭력을 경험한 사람들의 50%는 관계를 쉽게 정리하지 못한다고 한다. 벗어날 수 있는 상황이 와도 그러지 못한 채 계속 당하게 되는 '공포 유대'terror bond 또는 '트라우마적 유대 trauma bond' 심리가 작용하기 때문이다. 부모에게 학대받는 아이는 자존감이 무너져 부모의 티끌 같은 사랑에 의지하게 되고, 연인이 폭력을 자주 휘두를수록 상대적으로 작은 애정 표현에도 사랑을 더 크게 느끼게 되어 관계를 쉽게 정리하지 못하는 것이다.

2013년, 칠곡에서 계모가 어린 두 의붓딸 중 동생을 잔인하게 살해하여 전국을 충격에 빠지게 했었다. 그런데 이상한 점은 언니가 계모를 위해 자신이 동생을 죽였다고 거짓 자백을 하고, 계모를 풀어달라는 탄원서를 쓰는 등 이해할 수 없는 행동을 보인 것이다. 계모는 분명 자신을 세탁기에 넣어 돌리고, 계단에서 밀치는 등 학대를 일삼았으며, 동생을 잔혹하게 살해한 악마였다. 하지만 동시에 이 자매에게 사랑한다는 말을 해주던 유일한 사람이기도 했다. 계모는 학대가 끝나면 늘 사랑해서 그랬다며 자매를 안아줬다고 한다. 이 어리고 연약한 자매에게 그 사랑한다는 한 마디는 그들이 의지할 수 있는 전부였던 것이다.

지난 4월, 관악구 봉천동에서 한 남성이 자신의 동거녀를 흉기로 살해한 사건이 있었다. 가해자는 우발적으로 살해했다고 진술했지만, 그는 이미 한 달 전 폭행 끝에 집에 불을 지르려다 경찰에 연행되었었고, 작년에는 지속적으로 여자친구를 폭행해 4차례나 경찰 조사를 받았었다. 당시 경찰은 구속영장을 신청했지만, 여자친구가 가해자의 처벌을 원하지 않는다며 탄원서까지 제출해 기각되었다. 탄원서에는 앞으로 잘 살겠다는 여자친구의 다짐이 적혀있었다. 그리고 결국 그녀는 남자친구에게 살해당했다.

가정폭력, 데이트폭력 피해자들은 "사랑해서 그랬다"라는 가해자의 말도 안 되는 변명으로부터 벗어나지 못하는 경우가 많다. 그 말이 너무 달콤하게 들려와 의지하고 싶더라도 절대 속지 말아야 한다. 정상적인 사람 중에 자신이 정말 사랑하는 사람을 일부러 아프게 하는 사람은 없다.

칼을 손에 쥔 아이

소년은 밤새 잠을 설쳤다. 오늘은 그에게 특별한 하루가 될 것이기 때문이다. 주섬주섬 교복을 챙겨 입고 가방을 쌌다. 오늘은 평소에 넣고 다니던 교과서와 필기구 외에 한 가지를 더 넣었다. 부엌칼이었다. 소년의 머릿속은 무척이나 혼란스러웠다. 그렇게 다짐하고 또 다짐했지만, 막상 칼을 보고 있으니 앞으로 벌어질 일들이 너무나 두려웠다. 하지만 더 이상은 버틸 자신이 없었다.

학교에 도착한 소년은 마지막으로 실낱같은 희망을 잡아보기로 했다. 담임 선생님을 찾아가 면담을 요청했다. 이전에도 몇 차례 힘들다고 말해봤지만 아무런 조치도 없이 그냥 돌려보냈다. 오늘이 정말 마지막이었다. 하지만 역시나 선생님은 "보복은 나쁜 거야"라는 말 외에는 아무런 도움의 손길도 건네주지 않았다.

1교시가 끝나고 어김없이 그 녀석이 다가와 머리와 뺨을 때렸다. 가슴이 뛰고 머리가 복잡했다. 오로지 가방 속 칼만 떠올랐다. 하지만 결국 꺼내지 못했다. 2교시 수업시간 내내 소년의 심장은 터질 듯이 뛰었다. 수업이 끝나고 저 녀석에게 맞을 것이 두려운 게 아니었다. 정말로 가방 속 칼을 꺼내 들기로 결심했기 때문이다. 수업을 마치는 종이 울렸고 녀석은 소년에게 화장실로 따라오라고 했다. 소년은 칼을 꺼내 품에 감춘 채 화장실로 향했다.

2016년 원주에서 벌어진 중학생 칼부림 사건. 학교폭력 가해자는 10여 곳이 넘는 자상을 입고 병원에 실려 갔다. 중태에 빠졌지만, 수술을 받고 상태가 호전되어 생명은 건졌다고 한다. 그리고 소년은 살인미수로 체포, 구속되었다.

당시 이 사건은 '소년에게 정당방위를 인정해줘야 한다'는 의견과 '어떤 이유로도 사람을 죽이려 한 것은 용서받을 수 없다'는 의견이 팽팽하게 맞서며 엄청난 논란을 불러일으켰다. 그리고 과연 소년에게 어떤 선고가 내려질지 수많은 사람들이 관심을 갖고 지켜봤다. 이 사건의 판결은 매우 중요했다. 학교폭력이 심각한 우리나라에서 피해자가 극단적인 복수를 했을 때 받게 되는 처벌의 기준이 될 수도 있었기 때문이다. 하지만 판결은 어떤 언론에서도 공개되지 않았다.

2011년 미국에서도 이와 비슷한 사건이 있었다. 당시 열네 살이었던 조지 서베이드라는 같은 학교 상급생인 딜런 누노를 버스 정류장에서 칼로 찔러 숨지게 한 뒤 체포되었다. 조사결과 서베이드라는 매일같이 극심한 구타와 욕설, 왕따 생활을 견뎌야 했다. 사건 당일에도 학교를 마친 뒤 어김없이 폭행이 이어졌고, 결국 서베이드라는 준비했던 칼을 꺼내 직접 끝을 낸 것이었다. 이 사건은 미국 전역을 떠들썩하게 만들었고 여론은 서베이드라의 편을 들어주었다. 그리고 플로리다주 법원은 서베이드라에게 정당방위를 적용해 무죄를 선고했다.

둘 다 학교폭력으로 인해 어린 학생의 손에 칼을 쥐게 한 사건이다. 이것이 정당방위로 인정받아야 하는지 아닌지에 대한 논쟁의 정답은 없을 것이다. 왕따와 학교폭력에 시달리는 아이들은 이렇게 극단적인 복수를 저지르거나, 스스로 목숨을 끊어 끝을 내거나, 이도 저도 용기를 내지 못해 그냥 매일 울며 버티다 어른이 되어서도 평생의 상처를 안고 살아간다. 학교폭력을 완전히 뿌리 뽑는 것이 쉽지는 않겠지만 이런 극단적인 결과는 막을 수 있다. 원주의 소년처럼 학교폭력 피해자들 중 도움을 요청하는 아이들도 많다. 그런데 우리 어른들이 이것을 귀담아듣지 않는 것이다. 당시 원주의 중학교에는 학교폭력 전담 경찰관도 있었다.

하지만 담임은 소년이 도움을 요청했음에도 전담 경찰관에게 알리지도 않았다고 한다. 이런 일이 반복되면서 아이들은 어른들을 믿지 못하게 되는 것이다. 원주 소년이 그랬던 것처럼 어른들에게 도움을 요청해봐야 아무 소용도 없고, 오히려 그게 알려지면 괴롭힘만 더 심해진다고 생각한다. 아이들은 혼자 이겨낼 힘이 없다. 어른들이 적극적으로 나서서 이야기를 들어주고 도움을 주어야 한다. 아이들의 SOS 신호를 절대 가볍게 넘겨서는 안 될 것이다.

가스라이팅

1944년 미국 조지 큐커 감독의 영화 가스등Gaslight. 영화에 등장하는 아내 폴라는 점점 희미해지는 방 안의 가스등과 다락방에서 들리는 소음으로 인해 예민해져 간다. 하지만 남편 그레고리는 오히려 폴라가 상상 속에서 꾸며낸 일이라며 그녀를 몰아세운다. 사실은 남편이 조금씩 가스등을 희미하게 만들고 다락방에서 소음을 내며 아내가 점점 신경쇠약에 시달리게 만든 것이다. 그렇게 불안감이 커져가는 아내는 점점 더 남편에게 의지하게 되고 남편의 말에 복종할 수밖에 없는 상태가 되어버린다. 이것은 처음부터 그녀의 보석을 노리고 접근한 남자의 철저한 계획이었다.

이 영화가 개봉하고 난 뒤 '가스라이팅'이라는 심리학 용어가 생겨났다. 가스라이팅은 상대방의 심리와 주변 상황을 치밀하게 조작하여 판단력을 흐리게 만들어 그 사람을 지배하고 통제하는 보이지 않는 심리적 폭력을 일컫는다. 뭔가 엄청난 범죄에 사용될 것만 같은 가스라이팅은 사실 우리 주변에서, 그것도 아주 가까운 사이일수록 더욱더 빈번하게 일어나고 있다.

얼마 전 방영된 TV프로그램 '안녕하세요'에서 한 초등학교 여학생이 등장했다. 이 아이는 사는 게 너무 힘들다며 고민을 풀어놓기 시작했다. 쉴 틈 없는 학원 스케줄로 친구 생일파티조차 참석해 본 적이 없었고, 시험에서 하나라도 틀리면 엄청나게 혼이 났다. 그렇다고 백 점을 맞아와도 칭찬은커녕 그게 당연하다는 말만 들으며 지냈다. 심지어 학원 마치고 늦은 시간에 집에 와서도 엄마가 정해준 책을 다 읽어야 밥을 먹을 수 있었는데 그 시간이 보통 밤 10시였다. 하지만 함께 출연한 엄마는 "딸이 워낙 똑똑하기도 하고, 요즘 다들 그렇게 하지 않나?"라며 당당한 모습을 보였다. 이에 방청객들은 경악을 금치 못했다. 그러다 아이가 학교에서 풀었던 시험지를 들고 나왔다. 대부분 100점에 가까운 좋은 성적이었다. 진행자와 패널들은 아이에게 아낌없이 칭찬해 주었다. 항상 "겨우 이것밖에 못 해?"라는 엄마의 말만 들으며 자라온 아이는 TV에 나와 자신이 그동안 잘하고 있었고 이렇게 많은 사람들에게 인정받을 줄 몰랐다며 눈물을 쏟기 시작했다. 항상 자신이 부족하다고만 생각하며 살았던 것이다. 마지막으로 아이는 엄마에게 이렇게 말하며 펑펑 울었다. "엄마 조금만 더 나한테 칭찬도 해주고 사랑도 줬으면 좋겠어."

이렇게까지 심하지는 않더라도 요즘 많은 부모들이 자기도 모르게 자녀들에게 가스라이팅을 행사하고 있다. 아이가 원하는 인생이 아닌 자신이 원하는 아이를 만들기 위해서 말이다. "다 너를 위해서 이러는 거야, 엄마 말만 들으면 돼!"라는 말로 아이를 지배하고 통제한다.

이뿐만 아니라 가스라이팅은 연인 사이에서도 자주 일어난다. 잦은 다툼 속에서 "다 너 때문이야!"라며 강압적인 태도로 감정적인 주도권을 가져간다. 그리고 모든 잘못을 상대에게 미루는 것이다. 이러한 상황을 반복적으로 당하다 보면 점점 자존감이 낮아지고 정말 나한테 무슨 문제가 있는 것이 아닌가 하는 생각이 들기 시작한다. 그러면서 부족한 나를 만나주는 상대에게 고마워하며 더 의지하게 되고 완벽한 갑을 관계가 형성되는 것이다.

직장에서도 간혹 가스라이팅이 벌어진다. 예를 들어 내가 할 업무가 아닌데도 자꾸 나에게 일을 주는 상사가 있다. 처음에는 거절할 수도 없어서 조용히 시키는 대로 한다. 하지만 이게 자꾸 반복되자 내가 할 일이 아니라는 걸 말하려 하지만 상사가 먼저 분위기를 조성해버린다. 자기 일만 다 했다고 퇴근해버리는 사람은 이기적이고 조직에 도움이 되지 않는 사람이라고 말이다.

부당함을 느끼면서도 어쩔 수 없이 하게 되고 점점 그게 자연스러워진다. 거절하면 나만 나쁜 놈이 되어 버리는 것이다.

또 다른 가벼운 예로, 흔히 친구나 직장동료 중에 가벼운 부탁을 자주 하는 사람이 있다. 처음에는 별거 아니라며 도와주지만 갈수록 이게 당연해지는 것이 얄미워진다. 결국 나중에 거절하게 되면 왠지 내가 나쁜 사람이 된 것 같아 찜찜한 마음이 들게 된다.

어린아이들은 몰라도 성인이 되어서 어떻게 그런 것에 휘둘릴 수 있냐고 반문할지도 모른다. 하지만 직장 상사, 부모, 그리고 연인처럼 가까운 사람으로부터 오랜 기간 정신적인 덫에 걸려있는 사람들은 쉽게 빠져나오지 못한다. 심지어 가스라이팅을 행사하는 사람들조차 자신의 행동이 잘못된 행동이라는 것을 인지하지 못하는 경우가 많다.

가스라이팅은 우리 주변에서 너무나도 흔하게 벌어지고 있다. 만약 내가 사랑하는 사람, 존경하는 사람 때문에 힘들고 고통스럽다고 느껴진다면 그 관계를 꼭 되짚어봐야 한다.

1분 동안
일어나는 일들

1분이라는 길지 않은 시간 동안 할 수 있는 일은 그다지 많지 않다. 엘리베이터를 타고 내릴 곳을 기다리며 바뀌는 숫자를 멍하니 바라보거나, 전자레인지에 넣어둔 음식이 다 데워질 때까지 멍하니 기다리는 짧은 시간들. 그렇게 우리가 별 생각 없이 흘려보낸 1분의 시간 동안 지구 곳곳에서는 가슴 아픈 일들이 일어나고 있다.

유엔식량농업기구**FAO**가 제출한 보고서에 따르면 열 살 미만의 아동이 1분에 열두 명꼴로 굶어 죽고 있으며, 3분마다 한 명이 비타민 A 부족으로 시력을 잃고 있다고 한다. 방금 당신이 위의 문장을 읽는 5초 동안 지구 저편에서 또 한 명의 어린아이가 굶주림으로 세상을 떠났을 것이다. 지구상의 인구 일곱 명 중 한 명은 만성 영양실조로 기아에 허덕이고 있다. 그런데 현재 세계 시장에 나와 있는 식량은 현 인구의 두 배까지도 넉넉히 먹을 수 있는 양이라고 한다. 그렇다면 왜 이렇게 수많은 사람들이 굶주리고 있는 걸까? 자연재해나 정치 부패, 시장 가격조작과 전쟁 등 많은 이유가 있을 것이다. 거기에 후원 물품 중 일부는 권력층이나 반군에 의해 악용되기도 한다. 이런 상황 속에서 아이러니하게도 세계 인구의 절반은 비만과의 전쟁을 선포하고 다이어트를 하고 있다. 또 입맛에 맞지 않고 배가 부르다며 버려지는 잔반의 양은 상상을 초월한다.

지구상에서 1분마다 한 명씩 강력범죄로 인해 목숨을 잃고 있다. 밝혀진 범죄에 의한 통계가 이 정도일 뿐, 밝혀지지 않은 범죄까지 더해진다면 도대체 얼마나 많은 무고한 목숨이 범죄에 의해 희생되고 있는 걸까. 사람이 사람을 죽이는 것만큼 비극적인 일은 없다. 지구상에서 자신의 사적 욕망을 위해 동족을 죽이는 동물은 인간밖에 없을 것이다.

전 세계에서 1분 동안 약 8300그루의 나무가 사라지며, 7500톤의 석유가 소모되고 있다. 이로 인해 이산화탄소의 배출량이 증가하고 온실가스 농도가 높아지면서 지구의 평균 기온이 상승하는 지구 온난화 현상이 가속된다고 한다. 그리고 지구 육지의 약 10%를 차지하는 빙하가 서서히 녹아 해수면이 높아져 몰디브 같은 섬나라와 네덜란드 같은 해안 저지대가 침수될 위험에 처해있다. 따라서 북극곰 같은 동물들은 점점 서식지를 잃어 멸종 위기에 처하게 됐다.

우리나라에서는 1분에 0.2 쌍이 이혼을 한다. 통계청에 따르면 지난 2017년 한 해 동안 26만 4500쌍이 결혼했고, 10만 6000쌍이 이혼했다. 대략 다섯 커플이 결혼하는 동안 두 커플은 헤어지는 것이다. 매년 혼인율은 감소하고 이혼율은 증가한다. 우리나라 이혼율이 OECD국 중 9위이며, 아시아에서는 1위라고 한다.

우리나라에서는 1분에 0.025명, 즉 하루 평균 36명씩 스스로 목숨을 끊고 있다. 우리는 2005년부터 현재까지 무려 13년 동안 OECD 국가 중 자살률 1위의 자리를 굳건히 지켜왔다. 지난 5월 리투아니아가 OECD에 새로 가입하며 우리가 2위로 내려갔다고는 하지만 이게 무슨 의미가 있을까. 평균 자살률이 10만 명당 25.8명으로 평균치의 약 2.2배 높다. 특히 청소년 사망 원인 중 자살이 10년째 1위를 차지하고 있다. 도대체 무엇이 이들에게 극단적인 선택을 하게 만들었을까.

우리가 멍하니 흘려보내는 이 짧은 시간에도 어디에선가 슬픈 일들이 벌어지고 있다.

편지

친구야 잘 지내고 있니? 우리 얼굴 못 본 지도 벌써 시간이 꽤 흘렀네. 예전에는 그렇게 붙어 지냈는데, 나이가 들어가고 사는 게 빡빡해지다 보니 이렇게 안부 묻는 것도 뜸해지는구나. 나는 요즘 그럭저럭 잘 지내고 있다. 나중에 너 만나면 자랑하려고 아등바등 열심히 살고 있다. 내 얘기 들으면 아마 부러워서 배 아플걸. 그래도 아직 장가는 못 갔어. 빨리 좋은 사람 만나야 하는데 걱정이다. 예전에는 나 여자친구 생기면 너 제일 먼저 보여주고 그랬잖아. 나 결혼할 사람 생기면 너 꼭 보여주고 싶었는데, 너무 멀리 있어서 힘들겠지? 뭐 어쨌든 장가갈 때 소식은 전할 테니 축하라도 해줘라.

요즘은 우리 애들도 자주 보기 힘들어. 벌써 장가간 놈들도 있고, 일하느라 바빠서 서로들 많이 소원해졌다. 그래도 친구는 친구인 게 아무리 오랜만에 만나도 즐겁기만 하다. 옛날이나 지금이나 똑같아. 나중에 너 만나면 우리도 그러겠지? 설마 어색해하거나 그러지는 않겠지? 다들 너 보고 싶어 한다 임마. 나도 요즘 부쩍 네 생각 많이 나더라. 아무리 사는 게 힘들어도 너랑 술 한잔 기울이면 다시 기운 나고 그랬었는데. 나보다 나를 더 잘 아는 게 너였잖아. 길 잃고 헤맬 때마다 네가 잡아줬잖아. 내가 정신 못 차리면 욕해주고 기쁜 일 생겨도 욕해주고 맨날 욕해주던 네가 그립다.

가끔 너무 힘들 때면 너 보러 가고 싶기도 해. 그러다가도 꾹 참는다. 너무 일찍 너 보러 가면 네가 화낼까 봐. 왜 벌써 왔냐고 분명 화내겠지. 아무리 힘들어도 버티고 버텨서 잘살아 보지, 왜 자기 따라 벌써 왔냐고, 막 화내겠지? 너라면 그러겠지. 그러게 너는 왜 그렇게 빨리 포기하고 먼저 가버렸냐. 나쁜 놈아. 네가 그렇게 가버리면 나는, 친구들은 뭐가 되냐. 그렇게 힘들었으면 말을 하지 왜 맨날 혼자 밝은 척 철든

척 다하고, 그렇게 갑자기 가버렸냐. 뭐가 그렇게 버거웠니. 뭐가 그렇게 널 아프게 했니. 친구인 나한테 말도 못 꺼낼 정도로 그렇게 무거웠니.

너 그렇게 가고 얼마나 원망했는지 몰라. 그런데 이제 와서 돌이켜 보니 너한테 너무 미안해지더라. 그냥 너무 미안해. 너는 나한테 그렇게 힘이 되어 줬는데, 나 아파할 때마다 옆에 있어 줬는데, 나는 너에게 큰 힘이 되어주지 못해서 미안하다 친구야. 조금만, 아니 좀 많이 기다리고 있어. 내가 여기서 네 몫까지 멋지게 오래오래 살다 갈게. 나중에 만나면 니가 나 자랑스러워할 수 있도록 진짜 멋지게 살다 갈게. 내가 없어서 심심하겠지만 거기서는 힘들어하지 말고 행복하게 잘 지내고 있어라.

보고 싶다 친구야.

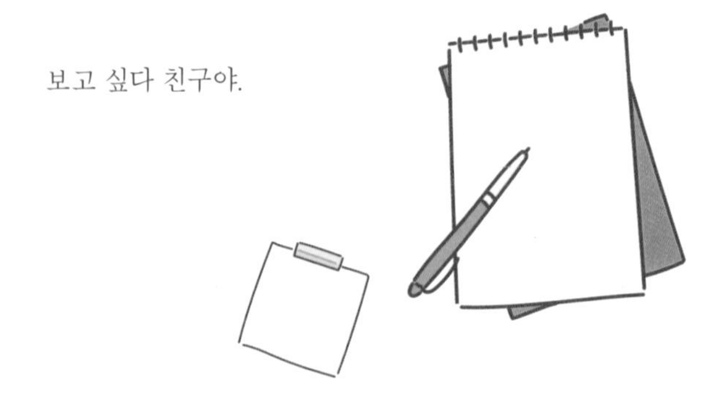

생각에 관한 이야기

우리의 삶 속에는 수많은 불문율이 존재하고, 우리는 이것을 지키며 살아간다. 아름다운 불문율은 잘 지키고 불합리한 불문율은 고쳐나간다면 언젠가 법 없이도 살 수 있는 세상이 오지 않을까.

일반화의 오류

이 세상엔 70억 명의 사람들이 살고 있다.

그리고 내가 살고 있는 세상은 고작

이세상의 70억 분의 1이다.

그런데 나는 내가 살고 있는 작은 세상에 갇혀

이곳이 세상의 전부라고 생각한다.

하지만 내가 누군가에게 귀를 열고 마음을 열어

그와 공감한다면,

내가 사는 세상은 70억분의 2로 늘어나고

또 다른 누군가에게 마음을 열면

70억 분의 3으로 늘어난다.

이렇게 하나둘 마음을 열다 보면

내가 얼마나 작은 세상에서 살고 있었는지 알게 된다.

하지만 나는 이 작은 세상이 안전하다고 느끼며

쉽게 문을 열지 않는다.

빈곤포르노

어느 날 지역사회복지센터에 한 통의 전화가 걸려왔다. 전화기 속 남자는 다짜고짜 화를 내고 있었다. 돈가스를 먹으러 갔는데 그곳에 기초생활 수급 아동으로 보이는 아이 둘이서 돈가스를 각자 하나씩 시켜 먹고 있더라는 것이다. 자기가 낸 세금으로 지급되는 기초수급 생활비로 비싼 돈가스를 먹어도 되냐는 항의 전화였다. 알고 보니 그 돈가스는 가게 주인이 아이들이 안쓰러워 무료로 제공한 것이었다.

어느 작가분이 집안 환경이 어려운 여중생에게 무료로 영어를 가르쳐주고 있었다. 한창 꾸미기를 좋아할 나이인 학생에게 생일선물로 틴트를 선물했다. 겨우 3800원짜리였지만 학생은 그가 민망할 정도로 좋아했다. 그러나 얼마 뒤 학생은 슬픈 얼굴로 이렇게 말했다. "학교 선생님이 애들 앞에서 틴트 살 돈은 있나 보다? 라고 하셨어요."

이 이야기는 얼마 전 뉴스 기사에서 본 내용이다. 나는 설마 이런 일들이 진짜 있을까 싶었다. 그러다 문득 이런 생각이 들었다. 만약 길거리에서 구걸하는 노숙자 손에 스타벅스 커피가 들려 있다면, 나는 그걸 자연스럽다고 생각할까? 과연 우리는 가난한 사람들을 어떻게 바라보고 있을까?

국제적으로 자선 캠페인이 급증했던 1980년대부터 각종 매체에서는 후원을 독려하는 다양한 영상과 사진들을 쏟아내기 시작했다. 특히 아프리카 같은 개발도상국의 아이들을 전면으로 다룬 캠페인이 많았다. 영상 속 아이들은 하나같이 깡마르고 병든 모습이었으며, 그 곁에는 아이에게 날아드는 파리를 쫓아내는 무기력한 엄마의 모습이 등장한다. 화면 속 아이들의 모습이 비참할수록 모금액은 빠르게 모여들었다. 그렇게 후원단체와 매체들은 점점 더 자극적인 사진과 영상들을 뽑아내기 시작했고 급기야 대중을 속이는 경우까지 발생했다. 후원 광고를 찍기 위해 아프리카를 찾아간 한 매체에서는 예상보다 식수가 깨끗하자 일부러 더러운 물을 찾아 아이에게 마시게 하는 등 비극적인 모습을 억지로 연출시키기도 했다.

이처럼 가난으로 어려움을 겪는 이들의 모습을 자극적으로 부각시켜 대중적, 상업적 효과를 얻는 것을 빈곤 포르노라고 한다. 사람들은 자신도 모르는 사이 빈곤 포르노에 노출되고 중독되면서 가난한 사람들에 대한 편견과 잣대를 만들게 된다. 그리고 돈가스를 먹는 가난한 아이들과 틴트를 바르는 가난한 여학생을 불편하게 느끼게 된 것이다. 가난한 사람들은 먹고 자는 생존 외에는 아무것도 바래서는 안 되고, 보는 사람이 불편하지 않을 만큼의 행복만 허락되는 사회. 이러한 인식으로 가난한 사람들은 더 위축되고 눈치를 보게 된다. 과연 우리는 무슨 자격으로 그들의 행복과 욕망을 불편해하는 걸까.

빈곤 포르노로 인해 더욱더 자극적이고 불쌍해 보여야만 사람들은 지갑을 열게 되었고, 그럴수록 빈곤 포르노는 계속해서 확산되어 갔다. 그리고 사람들은 자신도 모르는 사이 순수한 마음이 아닌 상대적 우월감에 빠져 그들이 행복해도 되는 정도를 정하고 있는 건 아닌지 모르겠다. 후원의 진정한 목적은 일시적인 모금이 아니라 그들의 삶에 도움을 주는 것이다. 돈을 건네는 것에서 끝내지 말고 그들의 꿈과 희망을 들어봐야 하지 않을까.

비 오는 날 우울한 이유

나는 비 오는 날이 좋다. 빗물이 투둑투둑 창문에 부딪히는 소리가 좋다. 비가 쏟아지는 도로 위를 달리는 자동차 소리가 좋다. 그리고 그걸 창밖으로 바라보는 게 좋다. 혹은 차를 몰고 나가 잔잔한 음악을 틀어놓고 빗속을 달리는 게 좋다. 그렇다. 한마디로 비 오는 날 실내에 있는 게 좋다. 우산을 들고 길을 걸으며 신발이 젖고 어깨가 젖는 건 싫다. 그래서 비 오는 날은 언제나 한가했으면 좋겠다.

추적추적 비가 오는 날이면 기분이 조금 우울해진다. 그런데 이 우울한 기분이 썩 나쁘지만은 않다. 왠지 모르게 차분해지고 평소보다 조금 더 깊은 생각에 빠진다. 누군가가 그리워지기도 하고 그러다 한숨이 나오기도 하지만 이런 적당한 우울함이 나쁘지 않다.

사실 비 오는 날 우울해 지는 게 그저 기분 탓만은 아니다. 우리 몸에는 세로토닌과 멜라토닌이라 불리는 정반대의 호르몬이 분비된다. 세로토닌이 분비되면 기분이 좋아지고 행복해진다. 반면 멜라토닌이 분비되면 기분이 울적해지고 나른해지면서 몸이 처지게 된다. 그래서 멜라토닌을 천연 수면제라고 부르기도 한다. 행복감을 주는 세로토닌은 우리 몸이 햇빛을 받을 때 분비되고, 우울감을 주는 멜라토닌은 밤이나 흐린 날처럼 어두울 때 분비된다. 비 오는 날에는 비구름에 태양이 가려져 하루종일 평소보다 어두워 세로토닌 분비를 억제하고 멜라토닌 분비가 활성화된다. 그래서 하루종일 축축 처지고 우울해지는 것이다. 이렇게 비 오는 날 우울해 지는 건 당연한 현상이다. 그러니 억지로 우울함을 떨쳐내기보다 조금은 즐겨보는 것도 좋은 듯하다.

꼭 비가 오는 날이 아니더라도 늦은 밤 깊은 감성에 젖어 일기나 편지, 혹은 누군가에게 메시지를 보냈다가 다음날 내가 썼다는 게 믿겨지지 않을 만큼 오글거리는 글을 보고 후회해본 경험이 있을 것이다. 사실 이 글을 쓰고 있는 지금도 비가 내리고 있다. 밤 11시에 빗소리를 들으려 창문을 조금 열어놨고 낮은 조명에 잔잔한 음악도 틀어놓았다. 멜라토닌이 온몸에 퍼지는 것 같다. 내일 이 글을 다시 읽어보면 너무 오글거려 지워버릴지도 모르겠다. 지금 이 글이 세상 밖으로 나와 당신에게 읽혀질지는 모르겠지만 어쨌든 빗소리에 감성 충만해진 지금의 나는 조금 우울하지만 그게 썩 나쁘지 않다.

열 손가락 깨물어
덜 아픈 손가락은 있다

나에게는 누나가 하나 있다. 나는 우리 부모님이 나와 누나를 똑같이 사랑한다고 생각하지만, 부모님도 그렇게 생각하는지는 잘 모르겠다. 부모님의 사랑은 그 무엇과도 비교할 수 없을 만큼 위대하지만, 부모님도 사람인지라 자녀들 중 조금 더 애착이 가는 아이가 있을 것이다. 열 손가락 깨물어 안 아픈 손가락은 없겠지만 아주 조금 덜 아픈 손가락은 있는 것 같다. 슬프게도 우리나라뿐 아니라 세계적으로 자녀들에 대한 편애는 분명히 존재한다.

한 연구결과에 따르면 무려 아버지의 70%, 어머니의 65%가 자녀 중 한 아이를 더 선호한다고 고백했다. 이 중 대부분의 부모가 첫째를 편애하는 것으로 나타났는데, 이는 이미 발생하고 나면 회수할 수 없는 비용, 즉 매몰 비용의 효과로 설명된다. 첫째 아이에게 이미 가장 많은 자원과 마음을 쏟았고 그것은 돌이킬 수가 없기 때문에 그만큼의 관심과 사랑을 기울이게 된다는 것이다. 또한 첫째가 대체로 강인하고 지능지수도 동생들에 비해 평균적으로 3%나 높다는 연구 결과도 있다. 이는 종족 번식과 생존의 가능성이 높은 자식을 더 사랑할 수밖에 없는 본능으로 이어진다. 그러나 반대로 가장 연약한 아이가 더 많이 사랑받기도 하는데, 이는 부모의 깊은 동정심이 생물학적 본능을 역행하는 것이다. 그리고 막내는 본능적으로 이를 알아채고 부모의 감정과 연민에 호소하는 전략으로 형제자매들과의 경쟁에서 승리를 거두곤 한다.

결국 첫째와 막내 사이에 끼인 둘째는 찬밥 신세인 경우가 많다. 그래도 희망은 있다! 둘째의 성별만 나머지 형제들과 다르다면 말이다. 게다가 부모는 동성 자녀보다 이성 자녀를 더 편애하는 성향이 있기 때문에 홍일점인 둘째 딸은 아버지에게, 청일점인 둘째 아들은 어머니에게 편애받을 확률이 높다고 한다. 하지만 이에 해당되지 않는 둘째도 편애받을 수 있을까? 한 가지 방법이 더 있다. 부모는 자신의 직업이나 성향, 행동방식 등이 비슷한 자녀를 더 선호한다. 이는 생식적 자아도취로 자녀에게서 자신의 모습을 발견하고 나르시시즘에 근거하여 더 애착을 갖는 것이다.

그런데 과연 편애받은 아이는 어떻게 자라게 될까? 부모에게 편애받으며 자란 아이는 자신이 특별하다는 느낌과 함께 엄청난 자신감을 얻게 된다. 사실 루스벨트 대통령 이후 미국의 모든 대통령이 편애받으며 자랐다는 연구결과도 있다. 하지만 지나친 편애는 아이에게 끝을 모르는 자신감을 주게 되고, 결국 자만심으로 이어져 성인이 된 이후에는 범법행위나 비도덕적 행위에 무감각해질 가능성이 높다고 한다. 게다가 편애받은 아이는 부모의 사랑과 기대에 부응하기 위해 자신이 원하는 삶의 방향으로 가기 어려워한다. 결국 편애가 아이의 개성이 자라는 것을 방해하는 것이다. 반면 소외되며 자란 아이는 자존감이 부족해지고 가족 외의 인간관계에 치중하며 약물이나 알코올, 담배 등에 중독될 확률이 그렇지 않은 아이에 비해 월등히 높다고 한다. 하지만 반대로 부모의 관심에서 벗어나 자신만의 개성을 키우고 자신이 원하는 삶을 사는 독립적인 사람이 되기도 한다.

결국 다른 형제들보다 더 사랑받는다고 좋아할 것도 없고, 소외당한다고 슬퍼할 것도 없다. 다 장단점이 있다는 것이다. 잘 생각해보면 우리도 부모님을 편애한다. 세상에서 가장 어려운 질문 중 하나가 "엄마가 좋아? 아빠가 좋아?" 일 것이다. 물론 둘 다 사랑하지만, 솔직히 우리도 엄마 아빠 중 아주 조금 더 좋은 쪽이 있지 않은가.

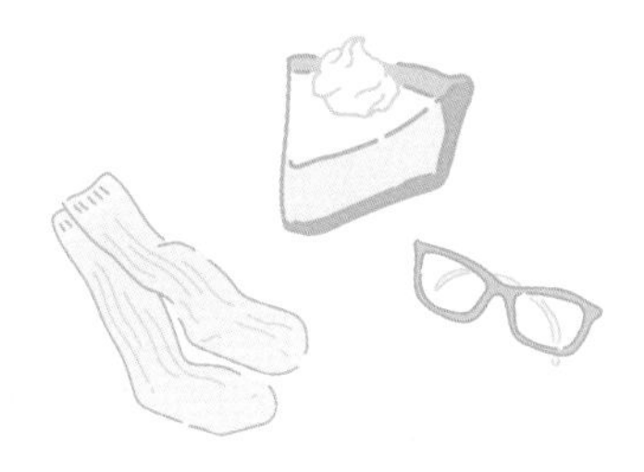

닮은 살갗

"번둥 천개가 치던 날 문썹 눈신을 하고, 곱은 졸목을 따라 찍죽준해서 노인코래방에 갔다. 막상 들어가보니 너무 좁아서 꽁조림 안의 통치가 된 기분이었다."

눈치챘겠지만 이 문장은 오탈자로 가득하다. 그런데 신기하게도 내용을 이해하는 데에는 별문제 없었을 것이다. 이는 미리 학습을 통해 인지된 단어들이 전체적인 이미지로 인식되어 글자의 모양이나 순서가 달라져도 원래의 단어로 인지하게 되는 '단어 우월 효과' 때문이다. 비슷한 맥락으로 스푸너리즘spoonerism 이라는 현상이 있다. 두 단어의 초성이나 첫 글자가 서로 자리를 바꾸어 표현되는 말로, 옥스퍼드 대학의 학장이었던 윌리엄 스푸너William Spooner 교수가 자주 했던 말실수에서 유래되었다고 한다. 우리나라 말로 예를 들면, "된장님, 원장찌개 나왔어요.", "병 형신이야?", "소리 벗고 팬티 질러!"와 같은 말장난들이 이에 해당된다.

이렇게 우리는 전혀 다른 단어와 문장을 보더라도 이미 학습된 정보를 통해 그 뜻을 유추해낸다. 그런데 이런 '단어 우월 효과'가 비단 글을 읽을 때에만 해당되는 것은 아닌 듯하다. 우리가 습득하는 정보의 80%는 눈을 통해 받아들인다고 한다. 공부도 일도 심지어 생사를 가르는 위험요소에 대한 정보도 대부분 눈을 통해 지각하게 된다. 그래서 사람들은 종종 "내 눈으로 똑똑히 봤어!"라는 표현을 "내가 눈으로 봤기 때문에 믿어도 된다!"라는 의미로 사용한다.

사실 우리의 눈은 모든 사물을 바라볼 때 '단어 우월 효과'처럼 이미 알고 있는 정보를 대입해 내 마음대로 해석하고 이해해 버린다. 동그라미를 보고 이게 동그라미라고 생각하는 이유는 이게 동그라미라고 배웠기 때문이다. 그래서 사람은 같은 것을 보고도 자신이 어떤 삶을 살았고 무엇을 배웠는지에 따라 얼마든지 다르게 받아들일 수 있다. 그렇기 때문에 자신의 눈을 곧이곧대로 믿어서는 안 되는 것이다. 내가 보고 인지한 것이 정답이 아닐 수도 있다. 아니, 정답이란 게 존재하지 않을 수도 있다. 그럼에도 우리는 자신이 본 것만을 세상의 전부라고 생각하며 남의 생각은 부정하려 한다. 편견과 일반화의 오류에 빠져 만들어진 고집은 신념이 아니다. 이야기를 나누다 보면 '무조건 나는 맞고 너는 틀려'라는 사람들이 있다. 자신이 본 것만 맹신하지 말고 다른 의견에 조금이라도 가능성을 열어줬으면 좋겠다. 자신이 살면서 보고 듣고 배운 것이 세상의 전부는 아니니까.

나도 '닮은 살걀'을 보고 '아! 삶은 달걀을 잘못 썼구나.'라고 생각하지 않고, 있는 그대로 '닮은 살걀'이 어떤 의미일까 라고 생각할 수 있는 말랑말랑한 사고를 갖고 싶다.

왜 안경 하나 썼다고 클락 켄트가 슈퍼맨인 걸 못 알아볼까?

세일러문이 악당을 물리치기 위해 변신한다. 사실 따지고 보면 옷만 갈아입은 것이다. 슈퍼맨은 평상시 클락 켄트라는 이름으로 데일리 플래닛에서 기자로 일한다. 그러다 위기에 처한 사람들을 발견하면 슈퍼맨으로 변신한다. 사실 안경과 옷을 벗어 던지면 미리 입고 있던 쫄쫄이가 나오는 게 전부이다. 그나마 꼬부라진 앞머리를 내렸던 것도 최근 DC 영화에선 사라졌다. 생각해보면 참 이상하다. 이렇게 지구의 평화를 지키는 마법 소녀나 슈퍼맨 같은 히어로들이 변신해봤자 옷만 바뀌었을 뿐 얼굴은 그대로인데, 변신 전에는 이들을 알아보는 사람이 없다. 단지 만화의 설정 때문인 걸까?

이에 대한 재미있는 해석이 하나 있다. 이걸 심리학적으로 보자면 바로 '제복 효과'로 설명된다. 제복에서 뿜어져 나오는 근엄한 권위에 압도되어 사람들의 판단력이 흐려지는 현상을 말한다. 제복효과라는 심리학 용어가 처음 생겨나게 된 사건이 있었다. 1900년대 초, 독일 베를린에서 보초를 서고 있던 경비병들 앞에 대위가 나타났다. 그는 황제의 명이라며 경비병들에게 자신을 따라올 것을 명령했다. 경비병들은 처음 본 사람이었지만 그 근엄한 모습에 압도되어 따라갈 수밖에 없었다. 그렇게 경비병들은 대위의 명령에 따라 시청을 장악한 뒤 시장을 공금 횡령죄로 체포했다. 그 사이 대위는 시청 금고에 있던 돈을 압수해 사라졌다. 얼마 뒤, 그 대위가 사기꾼이었다는 것이 밝혀졌고 범인으로 60세에 가까운 왜소한 구두 수선공이 잡혀 왔다. 그는 경비병들이 진술했던 30대의 젊고 건장한 체격의 남자와는 정반대의 모습이었다. 제복 한 벌이 왜소하고 나이 든 범죄자를 젊고 건장한 군 장교로 둔갑시켰던 것이다.

사람들은 생각보다 심리적으로 제복의 권위에 반응한다.

지나가는 경찰관을 보면 잘못한 게 없어도 괜히 신경 쓰이고 행동을 조심하게 된다. 병원에서 하얀 가운을 입지 않고 사복을 입고 있는 의사에게 진료를 받게 되면 괜히 의심스러운 마음이 생기게 된다. 이 외에도 군인, 요리사, 판사, 항해사, 승무원 등 제복을 입고 있는 사람을 보면 왠지 믿음직스럽고 신뢰감이 생기는 것이 바로 제복 효과이다. 제복을 입는 직업의 이성을 이상형으로 꼽는 사람들도 굉장히 많다.

제복 효과는 비단 타인에게만 미치는 것이 아니다. 제복을 입고 있는 사람 본인에게도 그 효과가 미치게 된다. 제복을 입음으로써 자신의 신분에 대한 책임감이 생기고 조직에 대한 소속감을 높여준다. 군인이나 경찰관, 소방관처럼 체계가 중시되는 조직은 물론, 일반 서비스 매장에서도 유니폼을 입었을 때 업무 효율이 훨씬 높게 나온다는 연구결과도 많다. 또한 학생들이 사복을 입었을 때보다 교복을 입고 있을 때 스스로 일탈적인 행동을 자제하게 되는 것도 일종의 제복 효과라고 볼 수 있다. 이렇게 제복은 심리적으로 입고 있는 본인이나 그 주변에까지 꽤 큰 영향을 끼친다.

갑작스레 꺼내기엔 너무 가슴 아픈 이야기지만 세월호가 가라앉고 있었을 때, 당시 선장과 몇몇 승무원들이 거의 속옷 차림으로 제일 먼저 뛰쳐나와 구명정에 옮겨 타는 장면이 많은 언론을 통해 공개되었다. 만약 그때 선장과 그 승무원들이 제복을 입고 있었다면 그렇게 수많은 생명과 배를 버리고 제일 먼저 살려달라고 뛰쳐나올 수 있었을까. 비단 제복을 안 입었다는 이유만으로 책임감과 도덕성을 버린 것은 아니겠지만, 만약 제복을 입고 있었다면 구명정에 오르기 전 한 번쯤은 마음속으로 망설이지 않았을까.

밤마다
신이 되는 사람들

정확히 기억나지는 않지만 아마도 내가 초등학교 5학년 때였던 것 같다. 한가로운 여름 방학 오후였다. 나는 거실에서 라디오를 들으며 꾸벅꾸벅 졸기 시작했다. 정확히 2시 5분이었다. 멀찌감치 보이는 전자시계의 빨간 숫자가 지금도 선명하게 기억난다. 잠깐 졸다 눈을 뜨면 바로 시계의 숫자가 보였다. 2시 10분이었다. 그리고 바로 다시 잠이 들었다. 이렇게 몇 분 간격으로 잠이 살짝 들었다 깼다를 여러 번 반복했고 깰 때마다 시간이 눈에 들어왔다. 그러다 꿈을 꾸기 시작했다. 꿈속의 나는 집 앞에 있는 놀이터에서 뛰어놀고 있었다. 그러다 잠이 깼다. 시계를 보고 다시 잠이 들었다. 다시 놀이터였다. 기분이 조금 이상했다. 다시 눈을 뜨면 눈앞의 시계가 보였다. 그렇게 몇 번 꿈속을 왔다 갔다 하다가 어느 순간 꿈속의 내가 지금 꿈을 꾸고 있다는 걸 깨닫게 되었다. 꿈속의 나는 너무 놀랍고 신기해서 엄마를 찾아다녔다. 동네에 있는 상가로 들어가 물건을 사고 있는 엄마에게 흥분을 감추지 못하고 소리쳤다. "엄마! 지금 이거 꿈이야! 신기하지!" 꿈속의 엄마는 별로 개의치 않아 했다. 나는 꿈에서 나와야지 하고 마음먹으면 다시 눈이 떠졌고 시계가 보였다. 그리고 눈을 감으면 다시 꿈 속으로 들어왔다. 꿈속에서는 뭐든지 내 마음대로 할 수 있었지만, 당시 어리고 순수했던 나는 마냥 신이 나서 "이거 꿈이에요!"라고 소리치며 뛰어다니기만 했다. 그렇다. 이건 나의 처음이자 마지막 자각몽! 루시드 드림이었다.

루시드 드림은 자신이 꿈을 꾸고 있다는 것을 자각한 채로 꿈을 꾸는 현상을 말한다. 그리고 꿈을 통제하며 자신이 하고 싶은 것은 뭐든지 할 수 있다. 하늘을 날아다닐 수도 있고, 원하는 장소로 어디든 갈 수 있다. 어린 시절 이 특별한 경험은 나이가 들면서 점차 잊혀졌다. 그러다 2010년에 개봉한 영화 인셉션을 보고 다시 그때의 경험이 떠올랐고, 나는 루시드 드림에 대해 알아보기 시작했다. 그리고 생각보다 거대하고 체계적으로 형성되어 있는 루시드 드림의 커뮤니티를 보고 놀랄 수밖에 없었다.

내츄럴 루시드 드리머 같이 선천적으로 자각몽을 꾸는 소수의 사람들도 있지만 훈련을 통해 자각몽을 꾸는 경우가 대부분이라고 한다. 세계적으로 루시드 드리머들의 커뮤니티는 굉장히 활성화되어 있다. 이곳에서 자각몽을 꿀 수 있는 훈련법이나 루시드 드리머들끼리 꿈을 컨트롤 하는 자신들의 비법을 공유하기도 한다. 쉽게 하늘을 나는 방법, 원하는 물건이나 사람들을 소환하는 방법, 주위 배경을 바꾸는 방법, 꿈꾸는 시간을 연장시키는 방법 등을 공유한다. 초보자들은 자각몽에 진입하더라도 상황을 컨트롤 하는 게 쉽지 않고 주변이 흐릿하거나 깨져 보이는 경우가 많다고 한다. 또 작은 자극에도 쉽게 깨어나 버린다. 하지만 숙달된 루시드 드리머들은 꿈 속에서 원하는 만큼 자신의 판타지를 실컷 즐긴다고 한다. 이 부분에서 많은 사람들이 야한 상상을 할 수도 있겠지만 실제 루시드 드리머들의 이야기를 들어보면 그런 것보다는 하늘을 날아다니거나 가보지 못한 나라로 여행을 떠나고 과거로 시간여행을 하는 등 현실에서는 절대로 할 수 없는 것들을 주로 즐긴다고 한다. 진실은 본인만 알겠지만.

루시드 드림 훈련법은 의외로 간단했다. 우선 루시드 드림은 크게 딜드와 와일드 두 가지로 나뉜다. 딜드는 꿈을 꾸다가 중간에 내가 꿈을 꾸고 있다는 것을 알게 되는 것이고, 와일드는 깨어있는 상태에서 의도적으로 자각몽 속으로 진입하는 것을 말한다. 와일드가 현실감이 매우 뛰어나지만 그만큼 진입하는 난이도가 높기 때문에 와일드를 완벽하게 꾸는 사람은 많지 않다고 한다. 그래서 보통 딜드부터 훈련을 시작한다.

우선 자신이 자각몽을 꾸겠다는 강한 의지를 갖고 잠에 드는 것이 중요하다.

그리고 매일 아침 눈을 뜨면 방금 꾸었던 꿈을 잊어버리기 전에 일기처럼 적어둔다.

꿈을 잘 꾸지 않는다는 사람들도 많은데 사실 사람은 보통 매일 밤 평균 5번 정도의 꿈을 꾼다고 한다. 단지 눈을 뜨자마자 잊어버리는 것이다. 아침마다 꿈을 기록하는 훈련을 반복하게 되면 꾸었던 꿈을 점점 잘 기억하게 된다. 그러다가 어느 순간 꿈속에서 공룡을 본다거나 하늘을 날게 되는 등 현실에선 불가능한 일이 벌어지면 그걸 부자연스럽다고 느끼게 되고 나중에는 내가 꿈속에 있다는 걸 깨닫게 되는 것이다.

그리고 리얼리티 체크라는 것이 매우 중요하다. 지금 이곳이 꿈인지 현실인지를 확인하는 절차를 말한다. 만약 꿈인 줄 알고 하늘을 날겠다며 창문에서 뛰었는데 현실이라면 큰일 날 것이다. 루시드 드리머 마다 자신만의 리얼리티 체크법을 갖고 있다. 보통은 코와 입을 막고 숨을 쉬어보거나 그 자리에서 공중부양을 해보는 등 현실과 꿈을 구분하는 자신만의 루틴을 만드는 것이다. 영화 인셉션의 주인공은 팽이를 돌린다. 팽이가 계속 돌면 꿈속에 있는 것이고, 팽이가 돌다가 쓰러지면 현실인 것이다. 초보자들도 자신의 리얼리티 체크법을 만들고 평상시부터 이 행동에 습관을 들여야 한다. 그러다 보면 어느 순간 꿈속에서 부자연스러움을 느끼게 됐을 때 습관적으로 자신만의 리얼리티 체크법을 사용하여 지금 꿈을 꾸고 있다는 것을 깨닫고 자각몽이 시작되는 것이다!

세계적으로 많은 심리학자들이 오래전부터 루시드 드림에 대한 연구를 해왔다. 루시드 드림이 창의성 발달이나 스트레스 해소에 큰 도움이 되기도 하지만 지나치게 중독되면 현실과 꿈을 구분하지 못하게 되어 일상이 망가져 버리는 경우도 생긴다고 한다. 또한 루시드 드림을 꾸는 상태는 깊은 수면에 드는 것이 아니기 때문에 수면장애나 피로와 같은 부작용이 나타날 수도 있다. 실제로 숙련된 루시드 드리머들도 일상생활과 컨디션을 고려하여 매일 자각몽에 들어가지는 않는다고 한다. 훈련을 통해 루시드 드리머가 되더라도 절대 남용해서는 안 된다는 것이다.

나도 루시드 드리머가 되고 싶어서 훈련을 시작했었다. 하지만 며칠 못가 바쁜 일상과 빡빡한 현실에 치이다 보니 흐지부지되고 말았다. 그래도 내 버킷리스트에 '루시드 드리머

되기'를 추가시켰다. 상상해보라! 이 답답한 현실에서 벗어나 신이 된 기분을!

공원 벤치 팔걸이에 숨겨진 비밀

공원을 산책하거나 길을 걷다 보면 잠시 쉬어갈 수 있는 벤치를 쉽게 볼 수 있다. 그런데 언제부터인가 이 벤치들에 하나둘 팔걸이가 생겨나기 시작했다. 벤치 중간중간 일정 간격으로 팔걸이나 돌출된 턱이 생겨난 이유가 한 사람씩 앉을 자리를 구분하거나 팔을 올려 좀 더 편안한 자세로 쉴 수 있게 하기 위한 것인 줄 알았지만 진짜 이유를 알고 나는 작지 않은 충격에 빠졌다.

적대적 건축**hostile architecture** 디자인. 바로 노숙자들이 벤치에 누워 잠을 자지 못하게 하려는 것이었다. 불편한 벤치를 만들어 노숙자들을 도심에서 몰아내기 위해 고안된 디자인이었다. 얼마 전 이 내용으로 영상을 만들어 유튜브 채널에 올렸다. 백만 명이 넘는 사람들이 시청했고 댓글창은 서로 상반된 의견으로 난장판이 되었다. 한쪽은, 노숙자들이 길거리로 나앉게 된 이유에는 분명 사회적인 책임도 있다. 갈 곳 없는 노숙자들은 늘어만 가는데 이를 사회적으로 포용하고 근본적인 문제를 해결하는 것이 아니라, 이런 식으로 강제로 몰아내기만 하는 것은 우리 사회가 얼마나 각박한지를 보여주는 것이다 라는 의견이 있는 반면, 사지 멀쩡한 사람들이 일을 할 생각은 하지 않고 길거리에 나와 구걸을 하는데 이들을 도와줄 이유는 없다. 그리고 그들을 도와야 한다는 이야기는 노숙자들에게 직접적으로 피해를 당해보거나 불편을 겪어 보지 않은 사람들의 감성팔이일 뿐이다 라는 의견이었다.

이런 적대적 건축은 해외에서도 쉽게 볼 수 있다. 노숙자 방지용 팔걸이뿐만 아니라 길가에 있는 매장 창틀에 사람이 앉지 못하도록 철심을 박아두거나 건물 기둥 사이에 눕지 못하도록 못을 박아두는 경우도 많다. 얼마 전 영국 본머스 거리에 있던 벤치에도 갑자기 팔걸이가 생겨나기 시작했다. 본머스 의원은 하루 종일 벤치에 누워 잠을 자는 사람들 때문에 불만이 제기되어 설치했다고 밝혔다. 이에 시민들은 공분하며 팔걸이를 없애 달라는 온라인 청원을 시작했다. 이 팔걸이는 비인간적이며 잔혹하고 수치스러운 것이라 비난했고, 주거문제를 돕던 한 자선단체는 '이 벤치가 슬픈 현대 사회 폐단의 흔적'이라며, 이러한 조치는 길거리에서 잠을 잘 수밖에 없는 그들의 근본적인 원인을 해결하지 못한다고 지적했다. 그리고 사람들이 모여 벤치에 담요와 쿠션, 이불을 갖다 놓으며 그들을 도와야 한다는 캠페인을 벌였다. 결국 본머스 의회는 팔걸이를 모두 제거하기로 결정했다.

처음에는 나도 적대적 건축에 대해 너무 매정하고 각박한 사회적 현상이라고 생각했다. 하지만 반대 의견에도 어느 정도 공감이 된다. 예전에 군 생활을 마치고 1년 정도 캐나다 벤쿠버에서 지낸 적이 있다. 밴쿠버는 세계에서 노숙자가 가장 많은 도시 중 하나로 유명하다. 길을 걷다 보면 마트에서 장 볼 때 쓰는 카트에 살림을 가득 싣고 다니는 노숙자들을 쉽게 볼 수 있다. 한겨울을 제외하고는 대부분 화창하고 따뜻한 날씨로 공원에서 잠을 자도 크게 불편하지 않은 이유도 있겠지만, 사실 정부에서 노숙자들에게 매달 100만 원이 넘는 지원금을 준다고 한다. 몇 년이 지난 지금은 더 받을지도 모르겠다. 게다가 강아지나 고양이를 데리고 다니면 지원금을 더 받는다. 그래서 밴쿠버에서는 길고양이를 보기 힘들다. 이쯤 되니 일부러 있던 집도 팔고 길거리로 나와 노숙자 생활을 하는 사람들도 있다는 이야기까지 들린다. 그래서 그런지 밴쿠버에서 지내는 동안 수많은 노숙자들을 보았지만, 길거리에서 구걸하는 노숙자는 많이 보지 못했던 것 같다. 벤치 팔걸이로 노숙자들을 몰아내는 것도 매정해 보이기는 하지만 밴쿠버처럼 전폭적인 지원을 해준다면 노숙자들이 길거리에서 벗어나려는 의지가 생기지 않을 것 같기도 하다.

수많은 노숙자들 중에는 스스로 벗어나려는 의지도 없이 구걸한 돈으로 술을 마시는 사람들도 있는 반면, 어쩔 수 없는 상황으로 길거리에 내몰려 그곳에서 벗어나기 위해 노력하는 사람들도 있을 것이다. 노숙자는 어떻다 라고 한 번에

묶어놓고 전체를 판단하는 것도 안타까운 일이 될 수 있다. 어쨌든 다 떠나서 적대적 건축 디자인의 벤치 팔걸이가 씁쓸하게 느껴지는 건 어쩔 수 없는 것 같다.

광고 속 시계가
모두 10시 10분을 가리키는 이유

이사하는 날에는 자장면을 먹어주는 게 예의다. 하지만 다른 걸 먹는다고 해서 큰일이 나는 것은 아니다. 버스나 지하철을 탈 때, 보통은 안에 있는 사람이 먼저 내리고 새로운 승객이 탑승한다. 하지만 안에 있는 승객이 내리기도 전에 먼저 비집고 들어간다고 해서 경찰에 잡혀가지는 않는다. 이렇게 법으로 규정하거나 어딘가에 정확히 명시되어있지 않아도 우리 사회에서 다 같이 암묵적으로 동의하고 지키는 규칙들을 '불문율'이라고 한다. 그리고 우리는 살아가면서 알게 모르게 수많은 불문율을 배우고 지키며 살아간다.

장례식에 갈 때는 검은색 옷을 입는 것이 불문율이다. 결혼식에 갈 때 여자는 흰옷을 입지 않아야 하는데, 순백의 드레스를 입은 신부를 돋보이게 하기 위해서다. 부조금이나 축의금을 낼 때는 보통 홀수로 낸다. 친하지는 않지만 내야 하는 경우 3만 원, 적당히 가까운 지인은 5만 원, 친한 사이라면 10만 원을 내는 것이 일반적이다. 이는 음양오행에 따라 짝수를 부정적, 홀수를 긍정적으로 여겨온 동양 문화의 특징이라고 할 수 있다. 하지만 9는 10이 되기 전의 불안정한 숫자라 여겨져 피하고 있고, 10만 원 단위로 부조할 경우 불길한 숫자로 여겨지는 4가 들어가는 40만 원도 건너뛴다.

광고계에서도 재미있는 불문율이 있다. 광고 속 시곗바늘이 대부분 10시 10분을 가리키고 있는데, 그 이유가 120도의 각도가 보는 사람에게 제품에 대한 안정감과 신뢰감을 주어 구매 욕구를 상승시키기 때문이라고 한다. 또 Victory의 V를 연상시켜 강렬한 이미지를 주기도 하고, 시계의 중앙 위쪽에 위치한 브랜드의 로고를 떠받치고 있는 느낌이 들어 시계 광고의 불문율로 정착되었다고 한다. 이러한 법칙은 스위스의 시계 브랜드 브레게**Breguet**에서 처음 시작한 것으로 알려져 있다. 이에 자존심 세기로 유명한 독일의 명품 시계 브랜드 랑에 운트 죄A. Lange & Sohne에서는 10시 10분의 불문율을 따르지 않고 시침과 분침의 위치를 바꾸어 1시 52분으로 120도를 표현했다. 또 애플워치는 광고 속에서 10시 10분보다 1분 빠른 10시 9분으로 세팅해 놓았다. 이를 두고 명품시계에 저항하는 의미가 아니냐는 해석이 나오기도 했다.

스포츠 업계의 불문율 세계는 그 어느 곳보다 치열하다. 5월 5일 어린이날 잠실 주경기장에서는 무조건 두산 베어스 대 LG 트윈스의 경기를 열어야 한다는 불문율이 96년부터 지켜져 왔다. 야구시합 중 점수 차가 커 역전 가능성이 없을 때 이기고 있는 팀은 도루를 하지 않는다거나, 양쪽 선수들 간에 시비가 붙어 벤치클리어링이 벌어질 때는 모든 선수들이 한 명도 빠짐없이 뛰어나와야 한다는 등의 불문율이 있다. 농구시합 막판에 크게 이기고 있는 팀은 작전타임을 요청하지 않는다거나, 경기가 끝나갈 때 이기고 있는 팀이 공격권을 잡고 있으면 슛을 쏘지 않고 그대로 시간을 흘려보내 시합을 종료시킨다는 등의 불문율이 있다.

방송계에서 아침드라마는 방송사마다 시간차를 두어 방

송시간이 겹치지 않게 하는 것이 불문율이다. 또 아무리 막말이 오가는 싸움에서도 서로 부모 욕은 하지 않는 것이 동서고금을 관통하는 불문율이지만 최근 온라인에서 패드립을 구사하는 사람들이 많아져 눈살을 찌푸리기도 한다. 그리고 초등학생들 사이에서는 학교에서 똥을 싸지 않는 것이 하나의 불문율로, 지키지 않을 경우 졸업할 때까지 놀림거리가 될 수 있다. 서울시 교육청에 따르면 학교에서 한 번도 똥을 싸지 않은 초등학생이 74%나 된다고 한다. 하지만 중학교에 올라가고, 고등학생이 되면 정말 말도 안 되게 유치한 생각이었다는 것을 깨닫고 친구의 쾌변을 응원하는 경지에 이르게 된다.

이 외에도 우리의 삶 속에는 수많은 불문율이 존재하고, 우리는 이것을 지키며 살아간다. 강제된 법이 아님에도 우리가 불문율을 지키는 이유는 바로 타인과 공존하기 위해 지켜야 하는 기본적인 배려이기 때문이다. 아름다운 불문율은 잘 지키고 불합리한 불문율은 고쳐나간다면 언젠가 법 없이도 살 수 있는 세상이 오지 않을까.

화난 고객에게 KFC가 가장 먼저 했던 말

지난 2월, 영국의 KFC 매장 900여 개 중 3분의 2가 한 순간에 영업을 중단하는 큰 사고가 발생했다. 그 이유는 황당하게도 매장에 닭고기가 떨어졌기 때문이었다.

어느 집에서 치킨을 시켜 먹을지 고르기 힘들 정도로 치킨집이 다양한 우리나라와는 달리, 영국에서는 치킨의 대부분이 맥도날드와 KFC에서 소비된다. 게다가 하필 손님이 가장 많은 주말에 일이 벌어지는 바람에 이 사건으로 영국은 치킨 대란에 빠지게 되었다. SNS에는 KFC에 닭이 떨어져 영업이 중단됐다는 게 말이 되냐며 온통 KFC를 욕하는 사람들로 들끓기 시작했다. 심지어 경찰에 신고하는 사람까지 생겨나자 런던 경찰청은 "이 문제는 경찰이 나설 일이 아니다."라며 신고를 자제해줄 것을 부탁했다.

사실 이 사태의 원인은 최근 KFC와 새로 계약을 맺은 유통업체 DHL 때문이었다. DHL이 KFC의 닭고기를 보관하고 있는 런던의 창고 시스템이 고장 나버렸고, 이로 인해 재고파악이 안 되어 배송이 불가능해졌던 것이다. 그 결과 영국의 KFC 전체 매장 900여 개 중 600여 개의 매장이 영업을 할 수 없게 되었다. 전문가들은 이후 문제가 수습된다 하더라도 추락한 이미지를 회복하기 어려울 것이라 평가했고, KFC 불매운동까지 예상되는 상황이었다.

그런데 이때 KFC가 내놓은 사진 광고 한 장이 기적처럼 영국인들의 마음을 돌려놓기 시작했다. 사진은 빨간색 배경에 텅 비어있는 동그란 치킨박스가 전부였다. 그런데 자세히 보니 박스에 적혀있는 로고가 'KFC'가 아니라 'FCK'로 바뀌어 있었다. 로고의 알파벳 위치를 바꾸어 욕처럼 변형시킨 것이었다. 이 사진과 함께

"죄송합니다. 치킨집에 치킨이 떨어졌네요.
결코 좋은 상황은 아니군요."

라는 사과문을 올렸다.

KFC가 위트 있는 방법으로 스스로를 욕하며 내놓은 사과 광고에 화난 소비자들은 미소를 지었다. 그리고 이 정도면 용서하지 않을 수 없다는 반응이 나오기 시작했다. KFC는 위트 있는 사과 공지를 잇따라 올렸다.

"치킨이 출발하긴 했어요.
우리 매장 방향이 아닌 것이 문제지만.."

사람들이 KFC의 유머에 기분이 나아지기는 했지만 계속 이렇게만 간다면 오히려 진정성이 문제가 될 수도 있었다.

사실 KFC가 진심으로 용서받을 수 있었던 이유는 단지 위트 있는 광고 사진 한 장 때문이 아니었다. KFC는 이 엄청난 사고의 책임을 문제의 발단이었던 배송업체에 떠넘기지 않고 스스로 떠안았던 것이다. 많은 유통 전문가들은 새로 계약을 맺고 5일 만에 대대적인 사고를 내버린 DHL의 창고시스템을 비난했다. 하지만 오히려 KFC는 "900여 개의 매장에 닭을 공급하는 것이 얼마나 복잡하고 어려운 일인지 우리는 잘 알고 있습니다. 이제 막 일을 시작한 DHL을 함께 응원해 주시기 바랍니다."라며 응원을 부탁했다. 그리고 고객들이 주변에 문을 연 매장을 검색할 수 있는 웹사이트를 즉시 개설했고, KFC는 절대 품질에 타협하지 않을 것을 다시 한번 약속했다. 그리고 현재 닭고기는 창고에 신선하게 보관되어 있으며 남는 닭고기는 기부하겠다고 밝혔다.

KFC는 배송업체를 탓할 수도 있었다. 매장으로 닭고기가 배송되지 않은 것은 누가 봐도 분명한 DHL의 잘못이었다. 하지만 사고가 발생하고 KFC가 내놓은 첫마디는 "배송업체 때문입니다."가 아닌 "죄송합니다."였다. KFC는 브랜드 이미지가 추락해 회복하기 어려울 뻔한 대형 사고를 투명하고 책임감 있는 태도로 대응했다. 그 결과 KFC의 이미지는 오히려 전보다 좋아졌고 충성 고객이 늘어날 것이라는 예측이 나왔다.

정부든 기업이든 개인이든 사람들은 문제가 생겼을 때 본능적으로 자기변호를 하려 한다. 그러다 보니 자기도 모르게 주절주절 변명을 내놓기 바쁘다. 물론 상황에 따라 문제가 생긴 원인을 서둘러 밝혀야 할 때도 있다. 하지만 화가 난 사람이 가장 먼저 듣고 싶은 말은 '미안하다'라는 한 마디가 아닐까.

27클럽의 저주

가끔 너무 잘하고 싶은 일을 앞두고 이런 상상을 할 때가 있다. '만약 이번 일을 성공할 수만 있다면 내 수명에서 1년이 줄어도 괜찮을 것 같은데..' 그런데 만약 줄어드는 수명이 10년이라면? 기어코 쓸데없이 깊은 고민에 빠져버린다. 내 인생 10년과 맞바꿀만한 가치가 있는 것인지..

짧고 굵게 사는 인생과 가늘고 길게 사는 인생 중 반드시 하나만 골라야 한다면 무엇을 선택할 것인가. 누구나 한 번쯤 해봤던 고민일 것이다. 양념치킨과 후라이드치킨 중 하나를 고르는 것만큼이나 어려운 선택이다. 인생에 반반은 없다. 나는 아직도 고르지 못하고 있다. 그런데 몇몇 천재들이 재능을 얻기 위해 악마와 생명을 걸고 거래를 했던 전설적인 이야기가 있다. 바로 '27클럽의 저주'이다.

1920년대, 미국 남부 미시시피주의 어느 농장 마을에 한 흑인 소년이 살고 있었다. 소년은 고된 노동과 가난한 삶을 벗어나기 위해서는 가수가 되어 돈을 버는 길밖에 없다고 생각했다. 그래서 그는 독학으로 기타를 배우기 시작했다. 당시 유명했던 가수들을 보면서 남몰래 연습했고, 동네 라이브바 무대에서 가수들이 내려오면 막간을 이용해 공연을 하기도 했다. 하지만 실력이 좋지 않아 관객들로부터 심한 야유를 받았다.

그러던 어느 날, 그의 실력이 갑자기 일취월장하여 당대 최고의 스타로 떠올랐다. 그리고 그는 수많은 뮤지션들에게 영향을 준 '델타 블루스' 장르를 완성시켰다. 기타의 신이라 불리는 에릭 클립튼은 그를 자신이 가장 존경하는 인물로 칭송했다. 그는 1986년 로큰롤 명예의 전당에 올랐고, 2006년 그래미 어워드에서 '평생 공로상'을 받게 되었다. 현재까지도 블루스의 제왕이라고 불리는 그는 바로 '로버트 존슨'이었다.

하지만 로버트 존슨에게는 이상한 소문이 하나 있었다. 실력이 엉망이었던 그가 한순간 최고의 실력을 얻게 된 것은 바로 '악마와 거래'를 했기 때문이라는 것이다. 오래전부터 미국 남부에는 무속신앙인 부두교로부터 하나의 전설이 전해져 오고 있었다. 밤 12시에 아무도 없는 길가에 나가 기타를 치면서 노래를 부르면 악마가 나타난다는 전설이었다.

로버트 존슨이 이 전설을 따라 악마에게 자신의 기타 튜닝을 맡겼고 최고의 실력을 얻게 되었다는 소문이 돌았던 것이다. 그는 악마를 소재로 한 노래를 즐겨 불렀고, 공연 도중에 갑자기 뒤를 돌아 노래를 부르거나, 공연 도중 노래를 부르다 말고 집으로 가버리는 등 이상 행동을 보이며 소문은 더 증폭되어갔다.

1938년, 로버트 존슨이 독이 든 위스키를 마시고 27살의 젊은 나이로 세상을 떠나자, 그가 악마와 거래해 실력과 맞바꾼 것이 그의 목숨이었다는 이야기가 퍼져나갔다. '악마와의 영혼 거래' 그렇게 로버트 존슨은 천재 아티스트가 27살에 죽게 된다는 저주인 '27클럽'의 첫 번째 아티스트가 되었다.

1969년, 당대 최고의 스타 뮤지션인 롤링스톤스의 브라이언 존스가 27살의 나이로 자택 수영장에서 숨진 채 발견되었다. 1971년에는 세기의 천재 기타리스트 지미 헨드릭스가 역시 27살의 나이에 약물중독으로 세상을 떠났으며, 1994년에는 20세기 락음악의 아이콘 너바나의 리더인 커트 코베인이 27살에 총으로 자살했다. 그리고 최근 2011년, 천재 싱어송라이터인 에이미 와인하우스가 27살의 나이에 약물 과다복용으로 세상을 떠나며 27클럽은 다시 한번 대중적 이슈가 되었다. 이 외에도 많은 천재 아티스트들이 27살의 나이를 넘기지 못하고 죽음을 맞이했다. 이쯤 되니 천재를 꿈꾸지만, 현실은 평범했던 아티스트 중에 27살이 되자 자살을 하는 사람도 생기고, 27살을 무사히 넘겨 28살이 되면 은근히 아쉬워하는 아티스트들이 생겨나기도 했다.

사실 27클럽의 시초인 로버트 존슨의 '악마와의 거래' 소문은 당시의 인종차별과 관련되었다는 분석이 있다. 그가 살았던 곳은 미시시피주의 목화 농장 지역으로, 그곳은 블루스 음악의 탄생지이자 흑인 인종차별의 상징적인 지역이기도 했다. 또 그 당시는 미국에서 노예제도가 없어진 지 얼마 되지 않은 때였다. 그리고 이때 흑인들의 블루스 음악이 백인 젊은 층에게 인기를 얻으며 영향을 끼치기 시작했다. 이것을 지켜보던 보수적인 백인들은 노예로 부리던 흑인들이 자신들에게 영향을 끼치는 것을 탐탁지 않아 했다. 결국 그들은 흑인들이 젊은 사람들의 정서를 해친다며 악마의 소문을 만들었고 블루스를 악마의 음악이라고 매도했다. 그리고 전 세계 수많은 뮤지션들에게 영향을 끼쳤던 로버트 존슨이 27살에 세상을 떠나자 이러한 전설이 생기게 된 것이다.

27클럽에 가입된 천재 아티스트들은 짧지만, 세상 누구보다 굵은 삶을 살았다. 엄청난 부와 명예를 누렸고 전 세계 수많은 사람들에게 영향을 끼쳤다. 하지만 정작 그들이 행복했을지는 잘 모르겠다. 만약 나에게 악마가 나타나 특별한 재능과 내 목숨을 두고 거래를 제안한다면 나는 어떤 선택을 할까. 이 에피소드를 다 쓰고 나니 왠지 가늘고 길게 사는 인생에 아주 약간 더 끌리는 것 같다.

행복에 관한 이야기

행복해지기 위해서는 남을 바꾸기 전에 나부터 바뀌어야 하는 게 아닐까. 어쩌면 나를 가장 힘들게 하고 아프게 하는 건 타인이 아닌 나 자신일지도 모르겠다.

잦은 행복

나는 큰 행복을 얻기 위해 잦은 고통들을 감내하려 했다.

하지만 가랑비에 옷 젖듯,

잦은 고통에 상처 입은 마음으로는

힘들게 얻은 큰 행복을 오롯이 느낄 수가 없었다.

행복은 크기가 아닌 빈도에 달려있었다.

내 삶이 온전히 행복하려면 큰 행복을 쫓기보다

작은 행복을 자주 느꼈어야 했다.

이제는 조금 알 것 같다.

행복은 질보다 양이라는 것을.

무식하면
행복하다

직장을 다니던 시절, 이른 아침 힘겹게 눈을 뜨고, 사람들로 꽉 찬 지하철에 몸을 구겨 넣어 회사로 향했다. 하루 종일 업무에 치이고 사람에 치이다 아슬아슬하게 막차를 타고 집에 돌아오면 그대로 곯아떨어지곤 했다. 생각해보면 일주일에 이틀 휴일을 전부 쉬어본 적도 몇 번 없는 것 같다. 이렇게 일만 하다 죽는 건 아닌지 겁이 나기도 했다. 물론 돌이켜보면 소소한 재미와 성취감도 있었지만 고됐던 기억이 더 많은 건 어쩔 수 없나 보다.

그러던 어느 날, 만원 지하철 속에서 옆 사람의 땀 냄새에 얼굴을 찌푸리는 여느 때와 똑같은 출근길이었다. 그러다 갑자기 이상한 기분이 들었다. 너무 행복했다. 그냥 갑자기 행복감이 밀려왔다. 내 인생이 꽤 괜찮다는 생각이 들었다. 나는 대기업 공채 사원이었고 회사에서도 나름대로 인정 받고 있었다. 사랑스러운 여자친구도 있었고 친구나 직장 동료와의 인간관계도 좋았다. 가족들은 건강했고, 적당한 경제적

여유도 있었다. 생각해보니 이 정도면 완벽한 인생이 아닌가 싶었다. 그런데 나는 왜 그동안 만족을 못 하고 투덜거리며 이런 행복감을 느끼지 못했을까. 정말 이상한 날이었다. 아무런 이유도 없이 찾아온 그 날의 행복함이 지금도 잊혀지지 않는다. 물론 그 행복한 마음은 점심시간도 채 못되어 사라지긴 했지만..

오래전에 봤던 한 칼럼이 생각난다. 어떤 기자가 취재 차 아프리카 오지를 가게 되었고 그곳에서 원주민을 만났다. 그리고 그들과 함께 잠시 생활하게 되었다. 그런데 원주민들을 가만히 지켜보니 너무나 행복하게 사는 것이었다. 도시에 사는 현대인들에 비하면 가진 것도 없고 아는 것도 없는 그들이 왜 이렇게 행복하게 사는지 궁금해진 기자는 계획보다 더 오래 머물며 계속해서 지켜봤다. 그리고 그가 알아낸 원주민들의 행복의 비결은 역설적이게도 아무것도 가진 게 없고 아는 게 없어서였다.

우리는 왜 항상 불만족스럽고 행복하지 않은 걸까? 그 이유는 지금 내 삶보다 더 양질의 풍요로운 삶이 존재한다는 걸 '알고 있기' 때문이다. 오지의 원주민들은 원래 가진 게 없어서 더 갖고 싶은 게 없다. 지금보다 더 풍요로운 삶이 존재한다는 걸 몰라서 현재에 만족하며 살아간다. 물론 지금보다 더 나은 삶을 살기 위해 노력하는 것은 좋지만 너무 발달해버린 세상은 우리를 자기발전의 동기부여를 넘어 상대적 박탈감에 빠지게 만든다. 내가 원하지 않더라도 이미 너무 많은 정보에 노출되어 있기 때문이다. SNS만 잠깐 살펴봐도 그렇다. 나는 죽어라 일만 해도 돈이 모이지 않는데, 혹은 일자리조차 구하지 못해 하루하루 자괴감에 빠져있는데 누구는 부모가 물려준 건물로 세를 받으며 해외여행을 다닌다. 나는 애인이 안 생겨 외로워 죽겠는데 누구는 타고난 아름다운 외모로 찬사를 받으며 만나고 싶어 하는 이성들이 줄을 선다. 이런 사람들을 보고 있자면 인생이 참 쉬워 보인다. 부러우면 지는 거다 라고 외쳐보지만, 어느새 비참하게 패배한 나를 보게 된다.

나는 법정 스님의 무소유 철학을 굉장히 존경한다. 하지만 나 같은 보통 사람에게는 불가능한 이야기다. 나는 갖고 싶은 것도 너무 많고 하고 싶은 것도 너무 많다. 세상에 좋은 것들이 너무나 많다는 걸 지나치게 알고 있기 때문이다. 세상은 아는 만큼 누리며 산다라는 말이 있다. 하지만 누릴 수 있는 만큼만 알아야 행복하지 않을까. 행복한 원주민들처럼..

이상하게 행복했던 그 날, 나는 나보다 더 가진 사람을 부러워하기보다 내가 가진 것을 부러워할 사람들도 있다는 걸 깨달았다. 직장을 다니는 나를 취준생들이 부러워했을 것이고, 여자친구가 있는 나를 외로운 사람들이 부러워했을 것이다. 상대적 박탈감에 자존감이 바닥을 치는 것보다는 이런 약간의 상대적 우월감을 가져보는 것도 정신건강에 좋지 않을까.

자기 인생에 100% 만족하는 사람은 많지 않을 것이다. 분명 누구나 다른 이를 부러워하면서 산다. 이 말은 반대로 아무리 보잘것없어 보이는 인생도 누군가는 그 인생을 부러워할 수도 있다는 것이다. 직장에 다니는 이를 실업자가 부러워할 것이고, 건강한 실업자를 아픈 이가 부러워할 것이고, 사랑하는 가족이 보살펴주는 아픈 이를 가족이 없는 이가 부러워할 것이고, 가족이 없어도 돈이 많은 이를 가난한 이가 부러워할 것이다. 이렇게 내 삶도 분명 누군가가 부러워하는 삶일 것이다. 그렇게 생각해보면 꽤 괜찮은 삶이 아닌가!

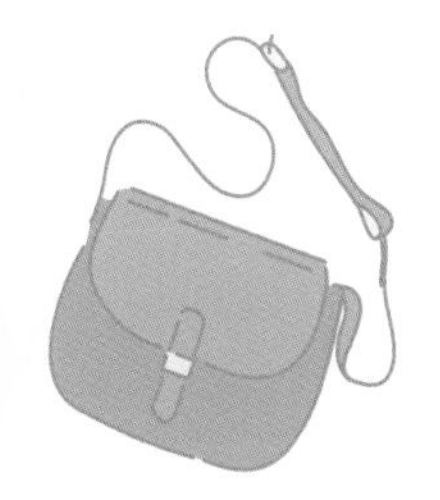

죽음의 숫자 4가
행운의 숫자가 되기까지

나는 어려서부터 심한 결벽증과 강박증을 갖고 있었다. 방바닥에 떨어진 머리카락 한 올도 용서하지 못해 하루에도 청소기를 수십 번씩 돌려야 했다. 벽에 액자를 걸기 위해서는 수평계가 필요했고 모든 물건은 제자리에 정해진 각도로 놓여져 있어야 했다. 나는 외출하고 돌아왔을 때 누가 내 방에 왔다 간 것을 단번에 알아챘다. 아주 미묘하게 달라진 물건의 위치나 바닥의 이물질이 눈에 바로 들어오기 때문이다. 또 길을 걸을 때 타일과 타일이 이어진 선을 밟지 못했으며 외출할 때에는 잠겨진 현관문을 몇 번이고 확인해야만 했다. 숫자에 대한 강박도 심했다. 어떤 일이든 불길한 숫자인 4가 연관되어서는 안 됐다. 반복적인 행동을 할 때는 3, 5, 7과

같은 홀수를 채워야 했다. 예를 들어 모기에 물려 긁을 때도 연속으로 다섯 번을 긁어야지 네 번만 긁는 건 용납할 수 없었다. 이쯤 되니 일상생활이 가능한지 나 스스로도 의문스러워진다.

대학생이었던 어느 날, 유난히 길고 힘들었던 하루를 마치고 지친 몸을 침대에 뉘었다. 지금은 알람을 스마트폰으로 맞추지만, 당시엔 초침이 있는 탁상시계를 이용했다. 나는 침대에 누운 채 시계와의 사투를 시작했다. 알람 초침을 내가 원하는 정확한 위치에 놓기 위해 태엽을 오른쪽으로 돌렸다 왼쪽으로 돌렸다를 반복했다. 몇 분이 지났을까, 너무 피곤

해 눈은 감겨오는데 알람 초침이 그날따라 더욱더 원하는 곳에 놓여지지 않았다. 그렇게 한참을 더 시계와 싸우다 결국 소리를 지르며 몸을 일으켜 세웠다. 그런데 순간 그런 생각이 들었다. 나는 언제부터, 왜 이렇게 살고 있었던 걸까? 나는 왜 이렇게 나 스스로를 괴롭히고 있는 걸까?

그동안 나의 결벽증과 강박증이 가끔 불편할 때도 있긴 했지만, 딱히 바뀌어야 한다는 생각은 하지 않았다. 그런데 그날 밤 나는 처음으로 이것들 때문에 내가 힘들고 아파한다는 사실을 깨달았다. 그리고 나 자신을 바꾸기로 결심했다!

다음날, 집에 돌아온 나는 옷을 벗고 잘 개어 옷장에 넣어놓는 대신 소파에 던져버렸다. 썼던 물건은 대충 아무 데나 놓았고 청소기는 봉인해 두었다. 벽에 걸어둔 액자는 조금씩 삐뚤게 해놨고 설거짓거리는 쌓아두었다. 길을 걸을 때는 아예 땅을 보지 않았으며 반복적인 행동을 할 때는 머릿속으로 숫자 세는 것을 멈추었다. 나에겐 혁명적이었던 하루를 마치고 침대에 누웠다. 도저히 잠을 잘 수가 없었다. 방바닥의 먼

지들과 소파에 널브러진 옷들이 나에게 소리를 질러댔다. 삐뚤어진 액자가 나를 노려보고 있었고, 아무 데나 놓여진 물건들이 비명을 질러대고 있었다..

그렇게 며칠이 지났다. 고등학교를 졸업한 뒤 쭉 혼자 살았기 때문에 집이 엉망이 되는 데에는 그리 오래 걸리지 않았다. 그리고 나는 정신적으로 거의 폐인이 되어있었다. 다 포기하고 청소하고 싶었다. 이게 얼마나 힘든 일인지 결벽증이 없는 사람은 절대 이해하지 못한다. 그래도 참고 또 참았다. 한 달쯤 지났을까, 집은 말 그대로 엉망진창이었다. 그런데 이상한 일이 벌어지기 시작했다. 마음이 불편해 잠도 못 자던 내가 조금씩 괜찮아지기 시작한 것이다. 지저분해도 나름 살 만했다 라기 보다는 내 스스로 현 상황을 받아들이고 포기한 것 같았다. 정확히 기억은 나지 않지만 두 달 정도 지나고 청소를 했던 것 같다.

그 뒤로 약 10년이 지난 지금, 청소기는 2~3일에 한 번 정도 돌리고, 걸레질은 일주일에 한 번 정도 한다. 설거지는 더 이상 사용할 수 있는 그릇이 없게 되면 하고, 사용한 물건을 제자리에 두긴 하지만 각도는 전혀 신경 쓰지 않는다. 그냥 평범한 수준의 정돈됨을 유지한다. 모기 물려 가려운 곳은 시원해질 때까지 긁고 외출할 때 선풍기 끄는 걸 깜빡 하기도 한다. 이 모든 게 억지로 하는 것이 아니라 이제는 정말로 신경 쓰이지 않는다. 말 그대로 내가 완전히 바뀌어 버린 것이다.

그런데 찝찝한 것이 하나 남아 있었다. 숫자 4는 여전히 끔찍이도 싫었다. 그리고 숫자 4를 싫어하는 내가 싫었다. 숫자 4를 좋아하고 싶었지만 아무런 이유나 계기도 없이 싫어하던 걸 좋아하는 게 쉬운 일은 아니었다. 그래서 왜 숫자 4가 불길한지, 얘를 좋아할 이유는 없는지 찾아보기 시작했다.

대부분 알고 있듯이 숫자 4는 한자로 죽음을 의미하는 死(죽을 사)와 발음이 같아 불길하게 여겨지고 있다. 이건 우리나라뿐만 아니라 한자 문화권인 중국과 일본도 마찬가지이다. 엘리베이터 비튼을 보면 4층을 F층으로 표기할 정도로 숫자 4를 불길하게 여기는 문화는 우리에게 일반적이다.

하지만 알고 보면 숫자 4는 역사적으로 가장 완벽하고 아름다운 숫자로 여겨지고 있었다. 사람들은 예수, 석가모니, 공자, 그리고 소크라테스까지를 4대 성인이라 부르며 칭송해왔고, 현재에도 어느 분야에서 가장 뛰어난 사람을 네 명만 꼽아 사대천왕이라 부른다. 또한 사람의 태어난 해, 달, 날, 시 이렇게 네 가지를 사주라 하여 사람의 운세를 점쳐왔고, 팔과 다리를 일컫는 사지, 매란국죽의 사군자, 관혼상제의 사례 등 역사적으로 숫자 4를 중요한 의미에 사용한 예가 무수히 많다.

그리고 방향을 나타내는 동서남북과 온 세상을 일컫는 사해, 계절을 나누는 봄, 여름, 가을, 겨울도 모두 넷으로 구성되어 있다. 뿐만 아니라 고대 그리스의 피타고라스 학파에서는 처음 네 개의 수인 1, 2, 3, 4를 더하면 완전한 수인 10이 된다고 하여 4를 신의 계시인 신성한 수로 여겼다.

또한 세상은 점, 선, 면, 입체 네 가지와 물, 불, 흙, 공기의 4원소로 이루어져 있다고 보며 숫자 4를 가장 조화로운 숫자로 여긴다. 그리고 숫자 4는 가장 안정적인 숫자이기도 하다. 자동차 바퀴도 네 개이고, 야구에선 4번 타자가 가장 중심 타선이며, 축구 경기장부터 체스판, 바둑판에 이르기까지 대부분의 승부는 4각 틀 안에서 이뤄진다. 지금 당신이 읽고 있는 이 책도 4각 틀로 이뤄졌으며 TV, PC 모니터, 스마트폰 등 지금 주변을 둘러보면 대부분이 4각 틀로 이뤄져 있다는 것을 알게 된다. 심지어 전 세계 공통의 행운의 상징은 바로 네잎클로버이다.

이쯤 되니 나에게 숫자 4는 가장 좋아하는 숫자가 되어버렸다. 지금은 숫자를 골라야 하는 상황이 오면 제일 먼저 4를 고른다. 불길하기는커녕 나에게는 행운의 숫자가 되었다.

그리고 이 생각의 변화는 내가 세상을 사는데 한결 편안하고 행복하게 해주었다.

결벽증과 강박증을 없애고 숫자 4를 좋아하기까지 정말 쉽지 않은 시간이었다. 어떻게 보면 남의 생각을 설득해서 바꾸는 것보다 내 의지로 스스로의 생각을 바꾸는 게 더 어려운 것 같다. 그래도 결국에는 할 수 있더라. 생각을 하나 바꿨더니 나를 옭아매던 삶의 속박 하나가 풀어지며 자유롭고 평안해졌다. 행복해지기 위해서는 남을 바꾸기 전에 나부터 바뀌어야 하는 게 아닐까. 어쩌면 나를 가장 힘들게 하고 아프게 하는 건 타인이 아닌 나 자신일지도 모르겠다.

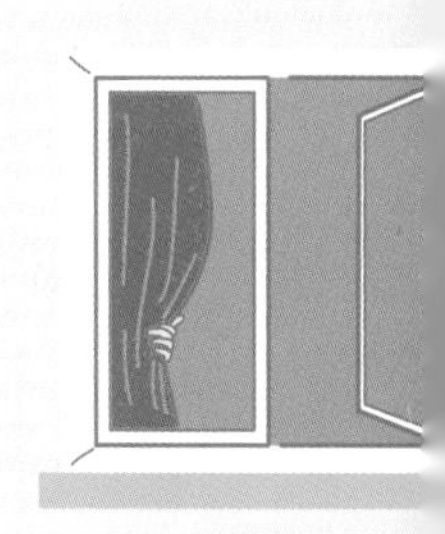

일부러
거절당하는 남자

지아지앙 이라는 중국의 초등학교 1학년 어린이가 있었다. 하루는 학교 선생님이 교실 옆에 선물을 쌓아두고 아이들을 모두 불러모았다. 그리고는 칭찬 릴레이를 시작했다. 한 아이가 친구를 칭찬하면 칭찬받은 아이는 선물을 하나 가져가면서 또 다른 친구를 칭찬하는 방식이었다. 반 아이들은 다른 친구를 칭찬하며 차례차례 선물을 받아갔다. 그런데 지앙은 자신의 이름이 얼른 불리지 않자 점점 초조해졌다. 결국 마지막까지 남은 지앙은 아무에게도 칭찬받지 못한 채 눈물을 터뜨렸다. 놀란 선생님은 아이들에게 "지앙에게 칭찬해줄 친구는 없니?"라고 물었지만, 아이들은 모두 거절했고 지앙은 더욱 비참해졌다. 결국 의도치 않게 공개비판이 되어버린 이

일은 그에게 평생의 트라우마를 남겨주었다.

지아지앙이 열네 살이 되던 해에 그의 고향 베이징에 빌 게이츠가 방문했다. 지앙은 빌 게이츠의 연설을 듣게 되었고 그에게 반해버렸다. 자신도 꼭 빌 게이츠 같은 성공한 사업가가 되리라는 큰 포부를 갖게 된 순간이었다. 그리고 2년 뒤 지앙은 미국으로 이민을 가게 되었다.

미국으로 건너온 뒤 14년이라는 시간이 흘렀다. 그는 서른 살이 되었고 직장을 다니고 있었지만, 자신의 꿈은커녕 큰 벽에 부딪히게 되었다. 노력이나 실력이 부족해서라기보다 어렸을 때 생긴 거절에 대한 트라우마가 그의 앞길을 막고 있었다. 아무리 좋은 아이디어가 떠올라도 사람들에게 거절당할 것이 두려워 말도 꺼내지 못하는 것이었다. 이로 인해 직장생활이 순탄하지는 못했다.

이후 지앙은 회사를 나와 사업을 시작했다. 얼마 후 투자를 받을 수 있는 좋은 기회가 생겼지만 결국 거절당하고 말았다. 그에게 거절에 대한 공포는 더욱더 커져 버렸고 너무 힘들어 전부 포기하고 싶어졌다. 그때, 문득 이런 생각이 들었다. '만약 빌 게이츠라면 투자를 거절당했다고 모든 걸 포기했을까?' 절대 아니었을 것이다! 지앙은 자신이 더 나은 사람이 되어야지, 언제까지고 마음속 초등학생 꼬마가 내 인생을 망쳐서는 안 된다고 생각했다. 그리고 이 거절에 대한 트라우마를 이겨내기 위한 방법을 찾기 시작했다. 그렇게 인터넷을 뒤지던 중 캐나다의 한 기업가인 제이슨 콤리가 만든 '거절치료'라는 게임이 눈에 띄었다. 이 게임은 30일 동안 매일 밖으로 나가 일부러 거절을 당하는 방법으로, 그러다 보면 결국 거절의 고통에 둔감해진다는 것이었다. 지앙은 바로 이 게임을 시작했다. 그리고 이 도전을 영상으로 남기기 시작했다.

첫째 날, '모르는 사람에게 100달러 빌리기'

지앙은 자신이 일하는 건물 1층에 근무하는 덩치 큰 보안요원에게 다가갔다. 그에게 걸어가는 그 짧은 시간이 인생에

서 가장 긴 순간이었다고 한다. "저기 100달러를 빌릴 수 있을까요?" 지앙이 묻자 보안요원은 "아뇨, 왜요?"라며 당연히 거절했다. 지앙은 죄송하다며 그대로 도망쳐 버렸다. 이후 지앙은 집으로 돌아와 녹화한 영상을 보았다. 당시에는 마치 귀신을 본 것처럼 무서웠지만 다시 보니 보안요원은 자기가 생각했던 것처럼 기분 나빠 하지도 않았고, 오히려 친절하게 이유를 물어보기도 했다. 사실 도망치기보다는 상황을 설명하거나 협상을 시도할 수도 있었다. 하지만 당시 지앙의 머릿속에는 그 자리를 피할 생각뿐이었다. 영상 속에서 꽁지 빠지게 도망치는 모습은 마치 자기 인생의 축소판을 보는 듯했다. 그리고 다음 날은 절대 도망치지 않고 버텨보기로 결심했다.

둘째 날, '햄버거 가게에서 햄버거 리필하기'

햄버거 가게에 온 지앙은 버거를 다 먹고 주문대로 향했다. "여기 버거가 굉장히 맛있네요! 혹시 리필 되나요?" 지앙의 말에 점원은 당황해하며 무슨 말이냐고 되물었다. 지앙은 말 그대로 버거를 리필해줄 수 있냐고 물었고 점원은 안된다고 답했다. 지앙은 포기하지 않고 말을 이어갔다. "음료는 리필이 되는데 버거는 왜 안될까요?" 점원은 원래 규정이 그렇다고 답했고 지앙은 "알겠어요, 고마워요"라고 말하며 돌아왔다. 진상손님으로 보여질 수도 있었겠지만 지앙에게는 인생이 걸린 문제였다. 그리고 당연히 거절당했지만 어제와는 달리 곧바로 도망치지 않고 나름 이야기를 이어나가며 협상도 시도했다. 큰 발전이었다.

그리고 셋째 날, 그의 인생이 바뀌었다! '올림픽 도넛 만들어달라고 부탁하기'

도넛 가게를 찾아간 지앙은 주문을 요청하는 점원에게 말했다. "좀 특별한 모양의 도넛을 만들어주실 수 있나요?" 그러자 점원이 대답했다. "원하시는 모양이 정확히 어떤 건지 말해주시겠어요?" 지앙은 도넛을 올림픽 오륜마크처럼 만들어줄 수 있는지 물었다. 당연히 거절당할 것이라고 생각했지만 의외로 점원은 진지하게 도안까지 그려가며 의논하기 시작했다. 그리고 15분 뒤, 점원은 올림픽 도넛이 들어있는 커

다란 상자를 들고 나왔다. 지앙은 점원에게 연신 감사하다는 말을 전했고 포옹까지 했다. 그 상자를 받아 든 지앙은 더 이상 6살짜리 아이가 아니었다.

그 뒤로 100일 동안, 처음 보는 사람에게 칭찬해달라고 하

기, 오바마 대통령에게 인터뷰 요청하기 등 두려움을 넘어선 도전은 계속되었다. 물론 거절당하는 경우가 대부분이었다. 하지만 그의 황당한 부탁에도 화를 내는 사람은 거의 없었다. 오히려 사람들은 도넛 가게 점원처럼 진지하게 그의 이야기를 들어주었다. 그렇게 지앙은 거절당한다고 해서 문제 될 것은 아무것도 없다는 것을 깨달았다. 문제가 되는 것은 오직 자신뿐이었던 것이다. 지아지앙은 이 값진 경험들을 하나하나 영상에 담아 그의 블로그와 유튜브 채널을 통해 전 세계 사람들과 공유했다. 그리고 그의 도전은 엄청난 공감을 얻게 되었고 현재는 강연을 통해 거절에 대한 두려움을 이겨내고 스스로의 인생을 개척해 나가는 방법을 알리고 있다.

살면서 거절당할 것이 두려워, 실패하는 것이 두려워 시도조차 해보지 못하는 경우가 참 많다. 짝사랑하는 사람에게 거절당할까 봐 고백도 못 하고, 도움이 필요할 때 거절당할까 봐 도움을 요청하지 못하고, 하고 싶은 일이 있어도 실패할까 봐 도전하지 못한다. 하지만 시도하지 않는다면 결과는 절대 알 수 없다. 설사 거절당하고 실패한다 하더라도 생각보다는 괜찮을지도 모른다. 해도 후회할 것 같고 안 해도 후회할 것 같다면 나는 그냥 눈 딱 감고 하고 후회하련다.

나이 들수록 시간이 빨리 가는 이유

학교를 다니던 10대 시절엔 왜 그렇게 시간이 느리게 가는지 죽을 맛이었다. 그때는 그냥 빨리 어른이 되고 싶었다. 이제 와서 생각해 보면 어른이 되고 싶다기보다 학생 신분에서 탈출하고 싶었던 게 아닐까. 바램이 간절할수록 시간은 더욱더 더디게 흘러갔다.

20대는 꽤나 정신없이 지나갔다. 바깥세상은 모든 게 신기했고 나에겐 열정이 넘쳤다. 하지만 다른 한편으론 모든 게 무섭고 막막하기도 했다. 돌이켜 보면 정말 많은 것들을 보고 듣고 느끼는 시기였다. 시간은 그렇게 너무 빠르지도, 너무 느려 지루하지도 않을 정도의 적당한 속도로 흘러갔다.

그리고 지금 30대. 일 년이 하루처럼 느껴진다. 아직 하고 싶은 것도 많고 딱히 이룬 것도 없는데 시간은 매정하게 지나가 버린다. 너무 빠른 시간을 내가 쫓아가지 못하는 느낌이다. 정신을 바짝 차리지 않으면 내 의식이 삶의 시간을 놓쳐 길을 잃을 것 같은 엉뚱한 생각마저 들게 한다. 40대, 50대가 되면 시간이 얼마나 더 빠르게 지나갈지 상상조차 할 수 없다. 흔히들 세월의 속도를 10대는 시속 10Km, 20대는 20Km/s, 50대는 50Km/s로 지나간다고 표현한다. 이렇게 나이가 들수록 시간이 빨리 지나가는 것처럼 느껴지는 게 단지 기분 탓일까?

어렸을 때는 뇌 신경세포의 정보처리 속도가 더 빨라서 세상을 세세하게 본다고 한다. 다른 말로 세상을 더 자주 본다고 표현할 수 있다. 카메라로 동영상을 촬영할 때 찍히는 정지 화면의 컷 수를 프레임이라고 하는데, 일반 속도의 영상은 보통 초당 30프레임 정도로 촬영한다. 그리고 초당 240프레임으로 촬영하게 되면 매끄러운 슬로우모션 영상이 나오게 된다. 우리의 뇌도 마찬가지이다. 어렸을 때에는 같은 시간이라도 세상을 촬영하는 프레임 수가 많아 세상을 더 자주 보며 시간이 슬로우모션처럼 지나간다. 그리고 나이가 들수록 뇌 신경세포의 정보처리 속도가 떨어지면서 세상을 촬영하는 프레임 수는 줄어들고, 시간은 점점 빨리 지나가는 것이다.

평일에는 학교든 회사든 아무리 죽어라 공부하고 바쁘게 일해도 시간이 너무 느리게 간다. 체력과 정신력은 벌써 방전됐는데 이제 겨우 화요일이다. 그런데 일요일은 정말 아무것도 안 하고 집에서 뒹굴거리기만 했는데도 순식간에 지나가 버린다. 왜 그런 걸까? 말 그대로 아무것도 안 했기 때문이다! 잠들기 전 가만히 생각해보면 오늘 하루의 기억이 누워있었던 것 말고는 아무것도 없다. 그러니 시간이 빨리 지나가 버렸다고 느껴지는 것이다. 일찍 일어나 운동도 하고, 책도 보고, 영화도 보고, 친구들 만나 수다도 떨며 하루를 보냈을 때, 그 순간에는 즐거워서 시간이 빨리 지나간 것처럼 느껴지겠지만 돌이켜보면 하루가 길었던 걸 알게 된다. 기억에 남는 것들이 많기 때문이다. 이 말은 곧 우리 뇌가 세상을 촬영한 프레임 수가 많다는 것이다. 그럼 인생의 시간은 슬로우모션처럼 느껴지게 된다.

이뿐만이 아니다. 우리 몸에서 행복이나 쾌락을 느낄 때 분비되는 도파민은 스무 살 때 최고로 분비되다가 이후 10년마다 5~10%씩 감소한다고 한다. 그래서 새로운 것들에 대한 흥미나 감흥이 떨어지게 되는 것이다. 그리고 반복되는 일상에 찌들어 무뎌지고 즐거운 자극은 점점 줄어들게 된다. 그렇게 점점 우리 뇌는 새로운 것을 촬영하지 않고 그저 시간만 빨리 가는 것처럼 느껴지게 된다.

그렇다면 한번 반대로 생각해보자. 이 이론대로라면 아무리 나이가 들어도 시간을 천천히 흘러가게 할 수 있는 방법이 있다. 새롭고 즐거운 경험을 많이 하고 좋은 기억을 자주 만들어 세상을 촬영하는 프레임 수를 늘리는 것이다. 새로운 취미생활을 시작하고, 동호회 같은 모임에 나가 새로운 사람들과 어울리고, 가족, 친구와 함께 소풍이나 여행을 가는 등 새롭고 즐거운 추억을 계속해서 만든다면 우리 뇌의 프레임 수는 어린 시절만큼이나 높아질 것이다.

육체적으로 건강하게 오래 사는 것만큼 정신적으로 풍요롭게 천천히 나이 들어가는 것도 중요하다. 매일 똑같은 일상에 시간만 빨리 간다며 투덜거릴 것이 아니라 집 밖에 나와 새롭고 즐거운 일을 찾는다면 좀 더 행복한 삶을 천천히 즐길 수 있을 것이다. 잠자기 전 하루를 돌이켜 보듯 인생을 돌이켜 봤을 때 즐거운 추억이 가득 하다면 행복한 인생이었다고 말할 수 있을 것 같다.

던바의 수

지금 내 휴대폰에는 1,200여 개의 연락처가 저장되어 있다. 카톡 친구는 1,300명쯤 된다. 그런데 이 중 비즈니스가 아닌 개인적으로 자주 연락하는 사람은 가족까지 다해도 10명이 채 안 되는 것 같다. 그렇다면 나머지 천여 명의 사람들은 나에게 어떤 의미일까?

살면서 가장 중요하면서도 가장 어려운 것이 인간관계인 것 같다. 나는 딱히 모난 성격이 아니라 그동안 속해 있던 모든 곳에서 사람들과 아무 탈 없이 잘 지냈다. 물론 내 주변 사람들은 다르게 생각할 수도 있겠지만. 어쨌든 부딪혀서 싸우는 경우는 거의 없었고 개인적으로도 꽤 가깝게 지냈다. 하지만 그곳을 떠나게 되면 사람들과도 점차 멀어졌다. 몸이 멀어지면 마음도 멀어진다지만 사실 가끔 문자 하나, 전화 한 통이면 되는 것인데 그게 쉽지가 않다. 나는 누군가에게 먼저 연락하는 걸 잘 못한다. 그게 왜 나에게 어려운 일이 되었는지 잘 모르겠다. 사람들은 밝고 사교적인 성격의 나를 보고 주변에 친구가 많을 거라고 생각하지만 사실 마음을 터놓고 지내는 친구는 몇 명 없다. 나에게 먼저 연락해주던 사람들도 계속해서 내가 먼저 연락하지 않으면 점점 연락이 줄어들게 된다. 먼저 안부를 묻는 게 뭐라고 잘 안되는 걸까.

나에게 항상 먼저 연락해주는 고마운 동생이 하나 있다. 내가 지금까지 살아오면서 수많은 사람들을 만나봤지만 이 녀석처럼 오지랖 넓은 놈은 아직까지 보질 못했다. 옆에서 보고 있으면 자기 인생은 없고 모든 게 남을 위해 돌아가는 것 같다. 이 녀석과 만나려면 적어도 한두 달 전에는 미리 날을 잡아야 한다. 사람들과 만나는 스케줄이 매일매일 꽉 차 있기 때문이다. 술 좋아하고 사람 좋아하는 것도 정도가 있어야 하는데 너무 지나쳐 보여 한마디 하면 이 녀석은 그게 좋단다. 그렇게 사람들과 어울리고 도와주는 게 행복하다고 하니 할 말이 없었다. 이 동생이 곧 있으면 결혼하는데 친구들과 농담으로 상암 월드컵 경기장 정도는 잡아야 하는 게 아니냐며 걱정했다. 나는 이 녀석의 오지랖이 피곤해 보이기도 하지만 한편으로는 부럽기도 하다. 살면서 인맥처럼 소중한 자산도 없다고 하는데 그럼 이 녀석은 재벌이 아닌가.

과연 우리는 살면서 몇 명의 사람들과 관계를 맺는 것이 적당할까?

150명. '던바의 수'라고 알려진 이 숫자는 영국의 인류학자 로빈 던바Robin Dunbar가 '진정으로 사회적인 관계를 가질 수 있는 최대한의 개인적인 숫자'라는 연구 결과를 내놓은 것이다. 쉽게 말해 사람이 가장 안정적으로 가질 수 있는 인간관계의 숫자이다. 이 150명은 우연히 마주쳤을 때 어색하지 않고 자연스럽게 인사하며 이야기를 나누거나, 술집에서 우연히 만나 동석하게 되어도 당혹스러워하지 않을 정도의 사람 숫자라고 한다. 그렇다고 150명의 지인들을 다 친구라고 볼 수는 없다. 보통 이 중에서 평균적으로 5~15명 정도가 가까운 친구, 3~5명 정도가 매우 절친한 친구라고 한다.

던바는 조직을 관리할 때 150명이 가장 적합하고, 그 이상이 되면 두 개로 나누어 관리하는 것이 좋다고 한다. 실제로 과거 원시부족의 마을부터 현재까지의 인간 집단은 150명 정도로 구성되었다는 수많은 증거들이 있고, 16세기 이후 로마 군대 등 역사적으로 가장 최적의 전투부대의 규모 역시 150명 정도라고 한다. 현대 사회에서도 사회적 집단은 150명으로 이루어졌을 때 가장 효율적이라고 보아 많은 기업이나 조직에서 던바의 수를 기준으로 조직 개편을 하기도 한다.

저널리스트 맬컴 글래드웰이 한 가지 흥미로운 조사를 진행했다. 사람들에게 만약 지인 중 누군가가 죽었을 때 그냥 슬픈 정도가 아니라 완전히 패닉에 빠져 망연자실하게 될 사람을 적어보라고 했다. 깊이 고민하던 사람들은 대체적으로 12명 정도를 적었다. 그리고 심리학자들은 이 12명을 '공감 집단'이라고 불렀다. 그런데 이 공감 집단은 15명을 넘기기 어렵다고 한다. 그 이유는 사람이 누군가와 아주 가까운 사이가 되려면 최소한의 시간과 정서적인 에너지를 투자해야 하는데, 그것이 10~15명을 넘게 되면 그때부터 부담을 느끼기 시작한다는 것이다. 공감 집단의 목록이 30명이라고 해도 결과적으로는 그 사람들에게 절반만의 시간과 에너지를 할애하게 된다는 것이다. 누군가와 가깝게 지내며 배려하고 신경 쓰는 것은 생각보다 지치게 되기 때문이다.

던바는 사람들의 SNS도 조사해보았다. SNS 친구가 수천, 수만이 있는 사람들도 주기적으로 연락을 주고받는 사람은 평균 150명 정도였고, 매우 가깝게 소통하는 사람도 스무 명이 채 되지 않았다고 한다. 아무리 SNS상에서 친구가 많더라도 현실과 크게 다르지 않았다. 나도 유튜브와 SNS로 수십만 명의 사람들과 소통하고 있지만 정작 내 개인 계정 친구는 몇백 명도 안된다. 그마저도 활동하지 않은 지 무척 오래되었다.

요즘 사람들은 불필요하게 과도한 인맥으로 스트레스를 받는다. 그러다 보니 거의 연락을 안 하는 사람이나 평소 불편한 사람들의 연락처를 지워버리는 인맥 다이어트가 유행하기도 한다. 진짜 사랑하는 소중한 사람들만 챙기기에도 너무 짧은 인생이다. 내 마음의 에너지를 여기저기 허비하기보다는 진짜 소중한 몇 명에게 집중시키고 싶다. 가족이 하늘이 맺어준 인연이라면, 친구는 내가 선택한 가족이라고 한다. 오늘은 보고 싶은 친구에게 전화 한 통 걸어야겠다.

머리와 가슴

머리와 가슴, 뇌와 심장, 생각과 마음, 이성과 감성. 이 녀석들은 사이가 좋지 않다. 늦은 밤 배가 고파 치킨을 먹고 싶을 때, '이성'은 살찐다며 반대하지만 '감성'은 맛있게 먹으면 0칼로리 라고 반박한다. 시험을 앞두고 '생각'은 어서 빨리 책상에 앉으라 하지만 '마음'은 내일부터 해도 늦지 않는다며 계획해둔 공부 범위를 수정한다. 나 혼자만 짝사랑하는 아이, '뇌'는 혼자 힘들어하지 말고 포기하라 하는데 '심장'은 그 아이만 보면 미친 듯이 뛰어댄다. 도대체 내가 뭘 하고 있는지도 모른 채 기계처럼 다니는 직장, '머리'는 직장을 나가면 당장 다음 달 월세, 카드값은 어떡할 거냐며 100만 실업자 시대에 감사히 다니라고 하지만 '가슴' 속엔 항상 사표를 품고 있다.

이렇게 이 녀석들은 매 순간 충돌하며 싸워댄다.

사실 따지고 보면 머리가 하는 말이 대부분 옳다. 머리가 하는 말 들어서 나쁠 거 하나 없다는 것은 나도 알고 있다. 주변 사람들이 하는 이야기도 내 머리가 하는 말과 크게 다르지 않다. 반면 가슴이 하는 말은 대부분 터무니없거나 무책임하고 위험해 보인다. 그런데 참 이상하게도 가슴이 시키는 대로 할 때 나는 더 행복하다. 그래서 나는 머리와 가슴이 싸울 때면 결국에는 가슴의 손을 들어주었다. 학창시절 사춘기가 왔을 때 가슴이 시키는 대로 공부를 놓고 마음껏 방황했다. 물론 많은 것을 놓치고 잃었지만, 미리 원 없이 방황해본 덕에 나의 대학생활은 그 누구보다 충실했다.

나는 중국으로 유학을 떠났고 준비과정 때문에 남들보다 대학을 1년 반이나 늦게 들어갔다. 그래서 졸업한 뒤에는 빨리 군 복무를 마치고 사회생활을 시작해야 했다. 하지만 나는 가슴이 시키는 대로 더 길고 힘들지만 꼭 해보고 싶었던 장교 생활을 택했다. 전역 후에는 동기들 모두 취업 전선에 뛰어들었지만 나는 늦은 나이에도 불구하고 가슴이 시키는 대로 모아둔 돈을 모두 들고 캐나다로 훌쩍 떠났다. 군 생활로 지친 몸과 마음을 달래기 위해 나에게 주는 선물이었다. 1년 뒤 한국으로 돌아와 힘들게 들어간 직장을 다니다가 가슴이 시키는 대로 사표를 던지고 나와 사업을 시작했다. 사업이 망하고 빚더미에 앉아 절망에 빠졌을 때, 너무 감사하게도 좋은 회사에서 불러주시는 분이 계셨지만 안정적인 기회를 뒤로한 채 또 가슴이 시키는 대로 새로운 일에 도전했다. 지금도 나는 시나리오를 쓰다가 게임이 하고 싶어지면 파일을 닫고 게임을 켠다. 새벽에 출출해지면 치킨을 시킨다. 헬스클럽을 끊어놓고 언제 마지막으로 갔는지 기억도 나지 않는다. 이렇게 나는 항상 가슴이 시키는대로 했다.

사실 말은 이렇게 쉽게 해도 머리와 가슴이 부딪힐 때면 매번 엄청난 고민에 빠지게 된다. 어떤 선택은 선택 자체만으로도 큰 고통이 되기도 했다. 그럼에도 불구하고 결국 나는 이성적으로 봤을 때, 남들이 봤을 때 당연히 가야 하는 길이 아니라 내 가슴이 시키는 길을 걸었다. 치열한 고민과 망설임

끝에, 다른 이유 보다는 내가 '지금 당장 행복'할 수 있는 길을 선택한 것이다. 그게 좋은 선택이었을 수도 있고 나쁜 선택이었을 수도 있다. 물론 그 선택의 결과를 책임지기 위한 고통의 순간들도 많았고 더 멀리 돌아온 길을 만회하려 피나는 노력을 해야 하는 시간들도 많았지만, 지금 현재의 나는 조금도 후회하지 않는다.

머리가 시키는 길만 걷는다면 일반적인 성공한 삶에 더 가까워질 가능성은 높아질지 모른다. 하지만 그 길의 끝이 반드시 행복하다는 보장도 없다. 머리가 시키는대로 작은 고통들을 감내하며 피나는 노력을 했음에도 불구하고 결과가 좋지 않다면, 그 결과를 온전히 내가 감당하기 싫어진다. 그렇게 사회를 탓하고 부모를 탓하고 결국 나 자신을 탓하게 된다. 이렇게 가는 길도 불행하고 결과도 불행하다면 인생이 통째로 불행해진다. 그리고 수 많은 사람들이 이런 이유로 자신의 삶이 불행하다고 느낀다. 하지만 가슴이 시키는 길은 가는 길이 행복하다. 그 끝이 불행하더라도 이겨내고 다시 걸을 수 있는 에너지가 남아있을 것이다. 그리고 결과에 대한 책임을 오롯이 짊어질 수 있는 마음도 생긴다.

가슴이 원하는 길이 절대 정답은 아니다. 인생에 정답이 어디 있을까. 또 행복의 기준도 사람마다 다르다. 단지 머리가 시키는대로 살아가는 삶이 나를 불행하게 한다면 가슴이 하는 말에 한번 귀 기울여 볼 필요는 있는 것 같다. 멀리 있는 큰 행복을 향해 걸으며 겪게 되는 잦은 고통들은 마음에 상처를 준다. 그렇게 상처 입은 마음으로는 힘들게 얻은 큰 행복을 오롯이 느낄 수 없을 것이다. 나는 멀리 있는 행복을 향해 고통스러운 길을 걷기보다는, 저 앞에 뭐가 있는지는 모르지만 가는 길이 행복한 길을 씩씩하게 걸어가려 한다.

막상 원고를 마치고 내가 쓴 글이 책으로 나온다고 생각하니 조금 겁이 난다. 내가 도대체 무슨 말을 늘어놓은 거지? 사람들이 내 이야기에 공감할까? 마치 내 일기장을 남에게 보여주는 기분이다. 뭔가 부끄럽고 어색하다. 이 책을 쓰기 전부터 내가 쭉 해오고 있는 일도 시나리오를 쓰고 영상을 만들어 사람들에게 이야기를 들려주는 것이지만 책은 조금 다른 것 같다.

영상을 만들 때 콘텐츠 하나하나에 깊은 고민을 담고 많은 공을 들여 자료를 조사한다. 그리고 최대한 객관적이고 정확한 정보에 약간의 감성을 더해 이야기를 만들었다. 하지만 이 책에는 객관적인 정보 자료보다는 나의 개인적인 생각과 경험을 꽤 많이 담았다. 그러다 보니 생각보다 주관적인 이야기가 되어버렸다. 그래서 조금 걱정이 된다. 이 책을 읽고 내 생각에 공감하지 못해 불편함을 느낀 분들도 계실 테니까. 그런 분들은 그냥 지나가는 평범한 청년이 투덜거렸다 생각하고 너그럽게 이해해주셨으면 좋겠다. 그리고 이 책을 읽어주신 분들께 깊은 감사의 마음을 전하고 싶다.

난 내가 만든 모든 영상에 마지막 인사로 "행복하세요!"라고 말한다. 나도, 내가 사랑하는 사람들도, 그리고 온 세상이 다 행복했으면 좋겠다. 행복의 크기와 상관없이 자주 행복했으면 좋겠다. 마지막으로 이 책을 읽고 조금이라도 공감이 되고 즐거움을 느낀 사람이 한 분이라도 계셨기를 바란다.

언제나 행복하시길.

이번 생은 틀렸다고 느껴질 때

초판 2쇄 인쇄 2018. 9. 15
초판 1쇄 발행 2018. 8. 28

글 유일한
기획 김상현
책임 김기용
인쇄 제본 창원문화사
펴낸 곳 필름(Feelm)출판사
주소 대전광역시 서구 정림로 11
전화 010 2028 5255
팩스 070 7614 8226
이메일 feelmbook@naver.com
등록번호 제 2016-000019호
등록일자 2016년 6월 13일